Le français par les textes B1-B2

Conception graphique de la couverture : Corinne Tourrasse
Dessins : Michel Cambon

Achevé d'imprimer en novembre 2019
sur les presses de Présence Graphique – 37260 Monts
Dépôt légal : novembre 2019 – N° d'impression : 111964720
Imprimé en France
Présence Graphique est titulaire de la marque Imprim'Vert®

© Presses universitaires de Grenoble, 2003
15, rue de l'Abbé-Vincent – 38600 Fontaine
Tél. +33 (0)4 76 29 43 09 – Fax +33 (0)4 76 44 64 31
pug@pug.fr / www.pug.fr

ISBN 978-2-7061-2588-1

Marie Barthe, Bernadette Chovelon

Le français par les textes B1-B2

Quarante-cinq textes de français courant

Presses universitaires de Grenoble

La collection ÉCRIT est dirigée par Isabelle Gruca

Lectures d'auteurs (2ᵉ éd.). M. Barthe et B. Chovelon, 2014

Livres ouverts. Livre de l'élève. M.-H Estéoule-Exel et S. Regnat-Ravier, 2008

Livres ouverts. Guide pédagogique. M.-H Estéoule-Exel et S. Regnat-Ravier, 2008

Le français par les textes A2-B1 (vol. 1). Livre de l'élève. M. Barthe, B. Chovelon et A.-M. Philogone, 2003

Le français par les textes A2-B1 (vol. 1). Corrigés des exercices. M. Barthe, B. Chovelon et A.-M. Philogone, 2006

Le français par les textes B1-B2 (vol. 2). Livre de l'élève. M. Barthe et B. Chovelon, 2003

Le français par les textes B1-B2 (vol. 2). Corrigés des exercices. M. Barthe et B. Chovelon, 2006

**Pour les autres collections, consultez le catalogue
sur notre site internet www.pug.fr**

Avant-propos

I. La lignée

L'ouvrage que nous présentons s'inscrit dans l'importante production des ouvrages de Français langue étrangère (FLE) édités par les Presses universitaires de Grenoble. Il complète une série de manuels déjà existants destinés aux classes de langue française.

II. Les auteurs

Marie Barthe, titulaire d'une maîtrise de FLE et d'un DEA de linguistique a déjà publié aux PUG en collaboration avec Bernadette Chovelon, *Expression et Style*, un manuel de français de perfectionnement dans l'optique actuelle de la didactique des langues.

Bernadette Chovelon, titulaire d'un doctorat de lettres, a une longue expérience de l'enseignement du FLE. Elle a déjà publié aux PUG en collaboration avec Christian Abbadie et Marie-Hélène Morsel *L'Expression Française*, dont la 6ᵉ édition a été rééditée, revue et corrigée en 2002. Elle a également publié en 2002 aux PUG, *Expression et Style* en collaboration avec Marie Barthe ainsi que *Le Résumé, le compte rendu, la synthèse* en collaboration avec Marie-Hélène Morsel, ces trois ouvrages étant destinés à la préparation du DALF.

III. Le public

Cet ouvrage s'adresse aux étudiants de niveau intermédiaire. Il s'adresse également à ceux qui préparent le DELF et à tous les étrangers qui, pour des raisons diverses, ont besoin d'apprendre la langue française courante.

Dans chaque partie, les textes sont de difficulté progressive si bien qu'ils peuvent être utilisés par un public assez large.

IV. Les objectifs de l'ouvrage

Cet ouvrage n'est pas un manuel ni une méthode. Il peut compléter bénéfiquement un manuel ou une méthode mais il peut aussi s'utiliser seul dans une classe de langue.

Son objectif essentiel est de faire découvrir le maniement de la langue française par des textes d'utilisation courante. Par un travail méthodique sur ces textes, il a pour but d'enrichir les connaissances grammaticales et lexicales afin d'amener progressivement les apprenants à savoir rédiger un texte de cent mots, à savoir exprimer un point de vue personnel à partir de questions proposées et à savoir résumer un texte en une centaine de mots.

Il correspond donc aux objectifs du DELF.

V. La construction de l'ouvrage

Les auteurs, conscients de la difficulté pour les enseignants de trouver constamment des textes adaptés à un travail progressif d'acquisitions nouvelles, proposent 45 textes sur des sujets variés.

1re partie. Pour donner les moyens de s'exprimer à l'oral et à l'écrit.
    Vingt textes contenant un matériel grammatical et lexical de base : portraits, métiers et régions de France. Ces textes ont pour but l'acquisition de structures grammaticales et lexicales variées permettant l'accès à des lectures plus riches et à des travaux écrits.

2e partie. Pour apprendre à présenter et à défendre son point de vue à l'oral. Pour apprendre à rédiger un commentaire écrit.
    Vingt textes à discuter présentant différents aspects de la société contemporaine proposent des points de réflexion destinés à apprendre à débattre des idées et à savoir présenter par écrit un point de vue personnel en groupe ou individuellement.

En annexe. Pour vous aider dans la vie pratique.
    Cinq propositions de lettres d'usage courant.

Les textes présentés sont de difficulté progressive si bien qu'ils sont modulables selon les besoins des apprenants On peut les utiliser à différents niveaux. Pour en faciliter l'accès, ils sont numérotés et la méthodologie est identique dans les trois parties.

VI. La méthodologie

La méthodologie est rigoureusement identique dans les 45 textes. Ils se présentent de la façon suivante avec sept points de travail bien ciblés :

1. Les objectifs grammaticaux et lexicaux. Présentation préalable rapide en tête de chaque texte.

2. Le texte (la longueur varie en même temps que la progression).

3. Des questions de compréhension du texte.

4. Une sensibilisation grammaticale.
Il ne s'agit pas d'une leçon de grammaire mais d'une sensibilisation à quelques structures nouvelles données dans le texte et expliquées à partir de leur fonctionnement à l'intérieur du texte. De courts exercices destinés à la mémorisation par la reformulation sont proposés après la mise en relief des points de grammaire étudiés.

5. Un enrichissement lexical.
Les expressions nouvelles sont relevées et proposées à la reformulation, moyen pratique pour les mémoriser.

Au fur et à mesure de la progression des textes, l'apprenant doit souvent relever lui-même dans le texte les mots nouveaux ou les expressions nouvelles. Il lui est recommandé de chercher leur sens exact puis de les écrire ou de les réutiliser dans de nouvelles phrases proposées.

Quelques questions de contrôle complètent ce travail.

6. Une proposition de dictée courte mettant en pratique les acquisitions du texte. La dictée restant toujours, malgré ses détracteurs, l'exercice le plus efficace pour apprendre l'orthographe.

7. Une application visant :
– l'entraînement à l'oral,
– un travail écrit.

Dans les vingt derniers textes, il est proposé en plus pour les candidats au DELF :
– la production d'un travail écrit de cent mots ou d'un résumé du texte,
– la présentation et la défense d'un point de vue dans un débat à partir des idées exprimées dans le texte.

VII. Pour finir

Il nous a semblé que, pour les apprenants de FLE aussi bien que pour leurs enseignants, cette approche de la langue, directement par les textes, fournissait un outil de travail facilement exploitable dans une perspective pédagogique constante de *reformulation* et d'assimilation, tout autant que de diversification de centres d'intérêt. Un livre de corrigés complète ce manuel.

Pour donner les moyens de s'exprimer à l'oral et à l'écrit

Vingt textes contenant un matériel grammatical et lexical de base

Les gens : portraits, métiers et régions de France

Texte 1
Odile, l'artiste

Objectifs grammaticaux

Les auxiliaires des verbes
Le passé composé
Le futur
Introduction de phrase parlée dans le
portrait
Expression de l'habitude

Objectifs lexicaux

L'identité
Les caractéristiques du portrait
L'âge, la description physique
Les goûts, les activités
Les traits du caractère
Les mots invariables : beaucoup de, invariablement, souvent, toujours, très, très bien

* * *

C'est une jeune femme. Elle a trente ans. Elle est grande, mince et belle. Elle a les cheveux courts, des yeux bleus, une taille fine et élancée. Ses longues jambes minces et musclées lui permettent une démarche souple et rapide. Elle porte souvent des robes longues qui dansent autour de sa taille lorsqu'elle marche.

Elle habite Grenoble. Elle aime faire du vélo, des promenades. Elle part seule en montagne, s'assoit par terre pendant des heures pour regarder le paysage en silence, admirer les couleurs, les formes et surtout la beauté de la lumière sur le vert des arbres ou dans l'eau des lacs. Elle aime le soleil et le ciel bleu. Quand il pleut elle est triste. Elle aime peindre des tableaux avec toutes les couleurs de la nature.

Elle aime la vie et tous ses bons moments. Elle vit avec amour l'instant présent. Elle sait profiter de chaque chose.

Elle aime manger de bonnes choses. Elle fait très bien la cuisine ; elle choisit ses légumes et ses fruits avec beaucoup de soin. Elle aime le bon vin. Elle aime rire avec des amies.

Elle chante et joue de la guitare. Quand on va chez elle, elle reçoit ses invités avec beaucoup de chaleur et d'amitié.

Sa maison est très décorée. Dans sa cuisine il y a des peintures, des fleurs, des graines, des dessins et des *posters* sur les murs, des assiettes peintes sur les étagères et des photos partout. Des images de bonheur ou des souvenirs d'amitié.

Ses goûts sont souvent pleins de fantaisie. Elle aime les fêtes et les chansons.

Elle veut toujours avoir raison. Elle parle avec le doigt en l'air en appuyant sur ses mots. Quand elle a réussi à convaincre elle dit en riant : « Té », ce qui veut dire : « Eh, tiens, tu vois. J'ai raison. » Et elle éclate de rire.

On lui dit : « Alors qu'est-ce que tu me racontes aujourd'hui ? » Elle répond invariablement : « Rien de bien spécial. » Puis très vite : « Ah oui, je voulais te le dire. Hier je suis allée au cinéma. J'ai vu un film magnifique. C'est une belle histoire d'amour. Cela t'aurait plu. La prochaine fois tu viendras avec moi. »

* * *

Compréhension du texte

    1. Qui est Odile ?

    2. Quel âge a-t-elle ?

    3. Est-elle grande ou petite ? Donnez un exemple pour illustrer votre réponse.

    4. Où habite-t-elle ?

    5. Quel est son caractère ? Donnez des exemples pris dans le texte.

    6. Quels sont ses goûts, ses préférences ?

    7. Trouvez trois adjectifs pour définir le caractère d'Odile.

    8. A-t-elle des amies ?

    9. Pourquoi sa maison semble-t-elle gaie ?

    10. Aime-t-elle aller au cinéma ?

Sensibilisation grammaticale

1. Auxiliaires être et avoir

Soulignez tous les verbes de ce texte. Faites trois colonnes. Notez les phrases avec le verbe être dans la première colonne, les phrases avec le verbe avoir dans la deuxième colonne et les phrases avec les autres verbes dans la troisième colonne.

En utilisant ces mêmes verbes, dites :

    – votre âge,

    – votre nationalité,

– la couleur de vos cheveux,
– votre taille,
– un de vos goûts,
– votre occupation préférée.

2. Expression de l'habitude

Relevez des verbes au présent qui indiquent une habitude.

Exprimez trois habitudes caractéristiques de votre personnalité.

3. Le futur

Relevez un verbe au futur.

Conjuguez au futur le verbe venir, le verbe être et le verbe avoir.

Enrichissement lexical

Relevez tous les mots qui permettent d'imaginer le physique de la personne.

Relevez les phrases qui permettent d'imaginer le caractère de la personne.

Relevez des gestes ou un comportement qui font comprendre la personnalité.

Proposition de dictée

Odile est grande et mince. Elle a trente ans. Elle aime faire du vélo et des promenades. Ses goûts sont souvent pleins de fantaisie. Elle aime rire, chanter, jouer de la guitare et inviter des amis. Quand on lui dit : « Qu'est-ce que tu me racontes aujourd'hui ? », elle répond toujours : « Rien de spécial. » Elle dit aussi : « Demain tu viendras au cinéma avec moi. C'est un film d'amour. Cela te plaira beaucoup. »

Application

À votre tour, en utilisant des mots que vous avez relevés dans le texte, écrivez un portrait :
– aspect physique,
– habillement habituel,
– l'habitation,
– un trait précis de caractère,
– une phrase habituelle de la personne dont vous faites le portrait.

Texte 2

Pierre, le Méditerranéen

Objectifs grammaticaux

Les temps des verbes
Expression de l'intention
Le conditionnel

Mots invariables : d'ailleurs, facilement, longuement, toujours

Expression de la comparaison : comme + un nom

Objectifs lexicaux

Les goûts
Les préférences
Le cadre de vie. L'habitation. L'ameublement
La convivialité
La profession
L'avenir

* * *

C'est un homme. Il a quarante ans. Il est grand avec de larges épaules et une taille mince. Il est blond, frisé. Il sourit souvent. Ses yeux sont facilement rieurs. Toujours élégant, avec des costumes impeccables, il est habillé à la dernière mode comme un acteur de cinéma.

Il est sportif. Il adore nager longuement dans la mer ou faire des randonnées à pied de plusieurs jours. Il aime les voyages dans les pays lointains. Il aime le soleil et les régions méditerranéennes. Ses arbres préférés sont les pins et les palmiers. Dans son jardin, il y a du thym et du romarin[1].

Sa maison, jaune et bleue, est vaste, pratique, prévue pour une vie facile et confortable. Au milieu de la pièce principale, il a installé un immense canapé blanc pour recevoir ses nombreux invités. Il leur sert des apéritifs originaux tout en leur faisant écouter de la

---

1. Des plantes aromatiques typiques du Midi de la France.

musique exotique. Une petite séparation entre le salon et la cuisine permet de sentir les bonnes odeurs du plat qui est en train de cuire tout en continuant la conversation. Dans le jardin, quand il fait beau, il fait cuire des brochettes sur un barbecue. Il sert toujours du bon vin en riant et en levant son verre à la santé de ses invités.

Il s'intéresse à tous les problèmes qui se rapportent à l'écologie, à l'amélioration de la qualité de l'air, de l'eau. C'est d'ailleurs sa profession. Cela le passionne. Il lit tous les articles ou ouvrages sur ces sujets. Dans sa conversation, il aime faire comprendre l'importance de la qualité de l'environnement, la responsabilité des habitants de la terre.

Souvent tourné vers l'avenir, il aime entreprendre, faire des projets nouveaux et les réaliser. Il aimerait mettre sur pied dans sa région une équipe de recherche pour l'amélioration de la qualité de l'eau et de l'air.

* * *

Compréhension du texte

1. Qui est Pierre ? Faites son portrait physique.

2. Donnez des traits de son caractère.

3. Pratique-t-il des sports ?

4. Cherchez dans le texte les détails typiques de la région méditerranéenne (habitudes, odeurs, couleurs, etc.)

5. Quelle est la végétation de cette région que Pierre aime ?

6. Décrivez son habitation.

7. Quelle est la profession de Pierre ?

8. Quels sont ses centres d'intérêt ?

9. Quel serait le souhait de Pierre ?

10. Citez une idée, un projet qui est important pour lui.

Sensibilisation grammaticale

1. Les verbes

Soulignez les verbes de ce texte.

Ce texte est au présent. Il y a un seul verbe au passé composé. Soulignez-le et expliquez pourquoi on a utilisé ce temps.

À votre tour, sur le modèle suivant, écrivez des phrases contenant un présent et un passé composé.

Exemple : *Pierre aime les livres. Hier il a acheté un roman.*

Pierre est sportif. Hier il …………

Il est gourmand. La semaine dernière, il ....

Il s'intéresse à l'écologie. Il y a deux mois, il ....

2. Expression de l'intention, du projet

Dans le texte on relève la phrase suivante : Il aimerait mettre sur pied...

Dans ce type de phrase, le verbe aimerait au conditionnel marque une intention.

À votre tour exprimez trois intentions pour votre avenir.

J'aimerais ....

Je voudrais ....

Je souhaiterais ....

3. « Être en train de » : action présente en cours

Dans le texte on relève la phrase : ... les odeurs du plat qui est **en train de** cuire.

L'expression en train de + l'infinitif marque une action présente qui continue.

Ex. : *Je suis en train de travailler. Pierre est en train de téléphoner, etc.*

À votre tour formulez quatre phrases avec cette construction.

Nous sommes en train de ....

Il est ....

Mes parents sont ....

Pierre ....

4. Le gérondif : « en » + le verbe terminé par « ant » toujours invariable

Dans le texte on relève la phrase : ... en **continuant** la conversation.

Le gérondif marque ici une action qui se fait en même temps qu'une autre.

Ex. : *Il marche en chantant.*

À votre tour, formulez trois phrases sur ce modèle.

Il parle en ....

Il mange en ....

Il travaille en ....

Enrichissement lexical

Quelle différence faites-vous entre les deux verbes en bleu : il adore nager et il aime le soleil ?

Relevez les adjectifs caractéristiques du portrait.

Quelle différence y a-t-il entre : il est **intéressé** et il est **passionné** ?

Répondez aux questions suivantes.

Qu'est-ce que : des brochettes ? l'écologie ? l'amélioration de l'air et de l'eau ?

Que signifie : « il aime entreprendre » ?

Relevez deux phrases qui expriment la convivialité, c'est-à-dire la joie et la chaleur avec laquelle on reçoit ses amis.

Proposition de dictée

Pierre est sportif. Il aime faire des promenades en montagne, il adore nager. Il est intéressé par la géologie et passionné par l'écologie. Quand il reçoit des amis, il prépare de bons apéritifs et du bon vin. Il fait cuire des brochettes dans son jardin. Il aime entreprendre et toujours faire de nouveaux projets. Il est passionné par son travail et parle à ses amis de ce qu'il fait.

Application

À votre tour faites le portrait de quelqu'un de convivial et de passionné par son travail, soit oralement soit par écrit.

Texte 3

Michel, le pharmacien

Objectifs grammaticaux

L'interrogation
Introduction du style direct
L'obligation
Le futur proche
Le commandement
La confirmation de l'affirmation

Objectifs lexicaux

Quelques formules de politesse
Les traits de caractère d'un métier à responsabilité
Un commerce
Quelques termes du vocabulaire de la santé
La vie dans une pharmacie

* * *

Michel est pharmacien. Dans sa pharmacie, toute entourée de meubles à tiroirs et d'étagères pleines de médicaments, il est vêtu d'une blouse blanche. Grand, brun, avec de petites lunettes rondes, il aime être chaleureux avec sa clientèle.

– « Bonjour madame. Comment allez-vous ? Comment va votre mari ? Est-ce que le traitement qu'il a commencé la semaine dernière lui a fait du bien ? Combien de comprimés a-t-il pris par jour ? Il faut encore continuer pendant cinq jours. »

La dame répond et Michel l'écoute attentivement. Il s'intéresse à tout ce qu'elle dit comme si elle était la seule dans la pharmacie.

La cliente suivante est une jeune fille qui a mal à la tête : « Depuis quand souffrez-vous ? Est-ce que vous supportez bien l'aspirine ? Non, alors je vais vous donner autre chose. Mais commencez doucement. Et augmentez la dose si tout va bien. » Il est prudent.

« Voilà le livreur qui apporte les médicaments commandés hier soir. » Il faut les ranger soigneusement par ordre alphabétique. C'est un métier qui demande beaucoup de rigueur. Il faut être ordonné.

Le client suivant lui donne la prescription d'un médecin. L'écriture se lit très difficilement car le médecin a écrit trop vite. « C'est complètement illisible » pense Michel. Il faut essayer de comprendre, et surtout ne pas se tromper dans le dosage. C'est un métier qui demande de l'intuition. Cependant Michel se méfie. Pour plus de sécurité il va dans son bureau pour passer un coup de fil au médecin : « Vous avez prescrit 20 ou 30 gouttes ? Je n'arrive pas à lire le chiffre. » Il revient : « Ça y est ! C'est bien vingt gouttes. C'est ce que je pensais. Trente, ce serait trop pour votre cœur. » Michel a le sens de ses responsabilités.

Ce soir il va faire un pansement à un enfant qui est tombé dans la cour de l'école. Avant de rentrer chez lui, après la fermeture de la pharmacie, il ira encore porter une canne et des médicaments chez une vieille dame qui ne peut pas se déplacer.

* * *

Compréhension du texte

1. Relevez dans ce texte trois traits du caractère de Michel.

2. Comment est-il habillé dans sa pharmacie ? Pourquoi ?

3. Citez trois tâches précises du métier de pharmacien.

4. Relevez dans ce texte les mots qui marquent l'ameublement ou la décoration d'une pharmacie.

5. Quels sont les premiers mots que Michel utilise quand arrive un client ?

6. À votre avis, est-ce la première fois que la dame qui parle à Michel vient dans la pharmacie ? Pourquoi ?

7. Le pharmacien est-il prudent lorsqu'il donne un médicament ? À quoi le voyez-vous ?

8. Pourquoi le pharmacien téléphone-t-il au médecin avant de vendre les médicaments ?

9. Quel est le travail du livreur ?

Sensibilisation grammaticale

1. L'interrogation

Relevez les interrogations contenues dans le texte. Notez les différentes manières de poser l'interrogation.

Répondez aux quatre interrogations suivantes en faisant une phrase.

Comment va votre fils? ....

Combien de comprimés prenez-vous par jour? ....

Depuis quand souffrez-vous? ....

Avez-vous une prescription? ....

2. Le style direct

Relevez deux phrases au style direct, c'est-à-dire des phrases qui rapportent directement les paroles de quelqu'un.

Dites deux phrases de votre choix en style direct.

3. L'obligation: « Il faut » + un verbe à l'infinitif

Dans ce texte on trouve la phrase: **Il faut** essayer de comprendre.

L'expression il faut + l'infinitif marque l'obligation.

À votre tour, faites des phrases sur le modèle suivant.

Ex.: *Il faut ranger les médicaments par ordre alphabétique.*

Il faut ....

Il faut ....

Il faut ....

Il faut ....

4. Le futur proche: verbe « aller » à toutes les personnes + un verbe à l'infinitif

Dans le texte on relève: Ce soir il va faire un pansement...

C'est le futur proche.

À votre tour utilisez le futur proche dans une phrase de votre choix, en mémorisant les expressions de temps qui marquent le futur proche.

Tout à l'heure, je vais ....

Dans un moment, le pharmacien va ....

Après la fermeture de la pharmacie, il ....

Demain matin, nous ....

Dans un moment ....

5. Le commandement

a) Dans le texte on trouve deux impératifs : **Commencez** doucement puis **augmentez** la dose…

C'est une manière de donner un ordre.

À votre tour, donnez deux ordres à l'impératif à vos camarades.

Vous leur demandez de se lever.

Vous leur demandez d'ouvrir la fenêtre.

Vous leur demandez de lire la leçon à haute voix.

b) Quelques verbes à l'impératif :

Va, allons, allez.

Mange, mangeons, mangez.

Marche, marchons, marchez.

c) Conjuguez à l'impératif les verbes suivants. Si vous ne les connaissez pas consultez une grammaire ou un dictionnaire et écrivez-les.

Travailler, finir, dormir, avoir, être.

6. La confirmation d'une affirmation

Relevez une confirmation d'une affirmation.

À votre tour complétez les trois phrases suivantes.

Oui, c'est bien ce que je pensais ……………

Oui c'est bien ça ……………

Oui, j'avais raison ……………

Enrichissement lexical

Relevez tous les mots du vocabulaire médical.

Donnez d'autres noms de professions dans le domaine de la santé.

Relevez dans ce texte des formules de politesse.

Proposition de dictée

Michel est pharmacien. Il met une blouse blanche pour travailler. Il lit les prescriptions des médecins avec beaucoup d'attention. Il vend des médicaments en comprimés ou en gouttes. Pour être un bon pharmacien il faut bien écouter les malades puis il faut aussi donner les médicaments avec de bons conseils. « Commencez doucement puis augmentez la dose petit à petit. »

Un pharmacien fait aussi des pansements. C'est un métier qui demande une grande rigueur.

Application

Travail oral

Exposez les tâches et les responsabilités d'un pharmacien.

Travail écrit

À votre tour écrivez le portrait de votre pharmacien habituel.

Texte 4

Marc et Sonia, un couple

Objectifs grammaticaux

Le pluriel
Les deux sens de l'expression il y a
Leur et leurs
Les adjectifs qualificatifs
La succession dans le temps

Objectifs lexicaux

Les goûts
Les occupations de la vie quotidienne
Le marché

* * *

Ils sont deux dans la vie. C'est un couple. Ils se sont mariés il y a dix ans. Ils sont encore jeunes et aiment bien voyager. Ils aiment partir dans des pays étrangers pour voir des paysages nouveaux et rencontrer des gens différents. Ils s'intéressent à la culture des autres pays, ils veulent connaître la langue de ces pays et toutes les habitudes de leurs habitants. Tous deux par exemple ont appris à faire la cuisine asiatique. Depuis dix ans ils sont allés deux fois en Asie. Dans leur appartement il y a des objets asiatiques et beaucoup de livres sur tous les pays du monde.

Ils regardent souvent la carte du monde. « Où pouvons-nous aller ? » Tout les intéresse. Ils sont très sensibles à toutes les pauvretés et les misères du monde actuel. Ils ne supportent pas de voir des enfants très maigres qui ont faim et qui en meurent. Ils donnent tout ce qu'ils peuvent pour les aider. « Que pouvons-nous faire devant ces drames ? »

Ils aiment la musique. Ils chantent souvent. Ils jouent du piano tous les deux quelque-fois à quatre mains. Ils dansent de temps en temps. Parfois ils invitent des amis pour écouter des CD avec eux. D'abord ils commencent la soirée par un bon repas, ensuite ils font le silence pour écouter de la grande musique ensemble. Ils disent souvent : « C'est dommage d'écouter la musique en dînant. On ne peut pas faire attention à la beauté de la musique. Une chose à la fois. Quand on mange, on fait attention à ce que l'on mange. Quand on écoute de la musique on fait attention à ce que l'on entend. Il faut se concentrer. » À la fin de la soirée ils boivent encore un verre avec leurs amis avant de se dire au revoir.

Ils aiment bien faire les courses ensemble. Ils disent d'abord : « Qu'est-ce qu'on va manger de bon aujourd'hui ? » Ils regardent ensuite ce que propose le marché puis achètent un beau poisson ou un petit poulet. Ils le feront cuire avec des champignons, car ils sont gourmands. Ils choisissent longuement les fruits, les pommes et les oranges surtout. Ils veulent qu'elles soient bien mûres, sucrées et très douces.

* * *

Compréhension du texte

1. Est-ce que Marc et Sonia sont mariés ? Depuis combien de temps ?
2. Donnez deux traits de leurs caractères communs.
3. Ont-ils les mêmes goûts ?
4. Sont-ils gourmands ?
5. À quels détails comprenez-vous qu'ils aiment la musique ?
6. Ont-ils déjà voyagé dans le monde ? Où ?
7. À quoi voyez-vous qu'ils sont sensibles à la misère du monde ?
8. Connaissent-ils les langues des pays où ils voyagent ?
9. Est-ce important pour eux d'avoir des amis ?
10. Leurs amis partagent-ils leurs goûts ?

Sensibilisation grammaticale

1. Les mots invariables du texte

Relevez tous les mots invariables et écrivez-les plusieurs fois pour en mémoriser l'orthographe.

2. Le pluriel

Relevez dans ce texte toutes les marques du pluriel.

Réécrivez au singulier le troisième paragraphe du texte.

Marc aime la musique ....

3. L'expression « Il y a »

Dans le texte on relève deux fois l'expression il y a employée dans deux sens diffé-rents.

– Ils se sont mariés **il y a** dix ans. C'est ici une expression du temps, de la durée.

– Dans leur appartement **il y a** des objets asiatiques. C'est ici l'expression du lieu.

En respectant la différence entre ces deux sens, à votre tour complétez les phrases suivantes.

Ils ont repeint leur appartement il y a ....

Dans leur salle de séjour, il y a ....

Il y a .... que je n'ai pas vu Marc et Sonia.

Dans leur bibliothèque, il y a ....

.... (lieu)

.... (temps)

4. Une expression du but : «Pour» + un verbe à l'infinitif

Dans le texte on relève la phrase : Ils aiment partir dans des pays étrangers **pour voir** des paysages nouveaux.

Sur le même modèle continuez les phrases suivantes.

Je suis content d'apprendre le français pour ....

Je veux visiter Paris pour ....

Marc et Sonia aiment faire la cuisine pour ....

Ils invitent des amis pour ....

Tu ....

Nous ....

Pourquoi leur (appartement) ne prend pas la marque du pluriel ? Pourquoi écrit-on leurs (goûts) sont différents avec la marque du pluriel ?

5. Les adjectifs qualificatifs

Relevez des adjectifs qui qualifient (qui donnent une qualité de plus) des noms.

6. La succession dans le temps

Dans le dernier paragraphe, relevez ce qui peut marquer une succession dans le temps.

Écrivez ensuite un texte de votre choix dans lequel vous marquerez la succession du temps en employant les mots suivants.

D'abord … ensuite … à la fin …

7. L'interrogation

Relevez deux interrogations. À votre tour écrivez deux interrogations sur le même modèle.

Enrichissement lexical

Quels sont les produits que Marc et Sonia achètent au marché? Citez-en d'autres que vous pouvez acheter dans un marché en France.

Relevez tous les verbes qui marquent un goût ou un intérêt.

Relevez tous les mots qui marquent un refus de l'égoïsme ou du repli sur soi.

Proposition de dictée

Il y a dix ans que Marc et Sonia sont mariés. Ils habitent un joli appartement décoré avec des objets asiatiques. Ils ont déjà fait beaucoup de voyages ensemble en particulier dans les pays asiatiques.

Ils aiment aller au marché ensemble et préparer pour leurs amis de la bonne cuisine; ils aiment aussi écouter de la musique ensemble, chanter et danser quand ils le peuvent.

Application

À votre tour, écrivez le portrait d'un couple que vous connaissez.
- Précisez depuis combien de temps ils sont un couple.
- Leurs âges, leurs goûts, leurs préoccupations.
- Leurs centres d'intérêt.
- Leur logement.
- Un trait précis de leurs caractères.

Texte 5

René, un professeur

Objectifs grammaticaux

Cela… c'est…
Des adverbes de lieu et de temps
L'article partitif
Une expression de la conséquence : si bien que…
Une expression de la durée : au cours de + un nom

Objectifs lexicaux

Tout, tous, tout le monde, dans le monde entier, sur toute la planète
Caractérisation d'un habitué, d'un érudit
Des expressions du temps

* * *

Mon voisin s'appelle René. Il est professeur depuis de longues années. Il est rond, doux, souriant. Dès le matin de bonne heure, il est déjà dehors pour faire ses courses. Il va au marché tout près de chez lui. Tout le monde le connaît et le salue. Dès que les marchands le voient de loin, ils disent : « Ah ! Voilà René ! Comment ça va ce matin, René ? » Il sourit, il répond à tous, il dit bonjour à tous avant de mettre dans son sac de belles salades ou des fruits bien mûrs.

Ensuite il rentre vite chez lui pour travailler dans ses livres : il lit, il écrit sans se lasser. Il sait beaucoup de choses dans tous les domaines. Il travaille le dimanche et même pendant les vacances. Cela l'intéresse. C'est son occupation préférée. On peut dire de lui qu'il est un érudit[1].

Il travaille souvent aussi à la Bibliothèque municipale. Là aussi, il connaît tout le monde. On voit qu'il a l'habitude de consulter les fichiers ; il ne se trompe pas ; il va directement là où il doit chercher. C'est un habitué. On le voit de loin, attablé devant une place, toujours la même. Il a beaucoup de documents devant lui ; il regarde, prend

---

1. Quelqu'un qui a appris beaucoup de choses, qui a une grande instruction.

des notes, apprend toujours de nouvelles choses qui le passionnent si bien que lorsqu'on le rencontre il dit souvent : « Tu sais, j'ai appris que… » et il a toujours une bonne histoire à vous raconter. On rit cinq minutes avec lui au coin de la rue.

Il sait très bien faire la cuisine car il est gourmand. Il aime le bon vin et les bonnes choses. Il aime rire avec des amis, souvent devant un petit café dans un bistro mais aussi au restaurant au cours d'un repas aux chandelles[2].

Il aime bien décorer son appartement. Bien sûr il y a beaucoup de bibliothèques avec des étagères pleines de livres, mais il y aussi de beaux tableaux et des petits objets amusants : ainsi toute une collection de chouettes[3]. Tous ses amis savent qu'il en fait la collection si bien que lorsqu'ils veulent lui rapporter un cadeau de voyage, par exemple, ils lui rapportent une petite chouette. Chacune est un souvenir pour lui. Cela l'amuse. Il les montre à ses invités en riant et en racontant la petite histoire de chacune.

Il aime beaucoup rencontrer des étrangers. Il les accueille chez lui mais il voyage beaucoup aussi, si bien qu'il connaît des gens dans le monde entier. Il s'intéresse à l'histoire de sa région mais aussi à celle des civilisations de toute la planète, si bien que l'on peut dire que sa culture est universelle.

---

2. Avec des bougies sur la table.

3. Un oiseau rapace nocturne souvent considéré comme un porte-bonheur.

* * *

Compréhension du texte

1. Qui est René ?

2. Donnez au moins trois traits de son caractère

3. Comment le voyez-vous physiquement ?

4. Quels sont ses goûts ? ses préférences ?

5. Par quels noms pourriez-vous le caractériser. C'est un… C'est aussi un… c'est encore un…

6. Quelle différence y a-t-il entre une bibliothèque et la Bibliothèque municipale ?

7. Fait-il les courses au marché lui-même ?

8. À quels détails voyez-vous qu'ils les fait souvent ?

9. Est-ce qu'il aime raconter des histoires ?

10. Citez les occupations préférées de René.

Sensibilisation grammaticale

Dans le texte chercher les expressions : tout, tous, tout le monde, dans le monde entier, de toute la planète. Employez-les dans une autre phrase de votre invention.

1. Une expression de la conséquence

L'expression si bien que est employée plusieurs fois dans le texte. Pourquoi est-elle employée ainsi ? Remplacez dans les phrases du texte cette expression par une autre de même sens.

Construisez deux phrases de votre choix comprenant l'expression si bien que.

Il aime lire si bien que ....

René travaille beaucoup si bien que ....

Cherchez dans le texte le verbe savoir à deux personnes différentes. Conjuguez le verbe savoir au présent.

2. L'article partitif

De belles salades... des fruits bien mûrs... Selon la place de l'adjectif et du nom on emploie de ou des. Faites des phrases de votre choix pour utiliser ces deux articles partitifs.

Il achète ...... fruits.

Il mange ...... salade.

Il choisit ...... belles salades.

Il choisit ...... fruits.

Il choisit ...... beaux fruits.

3. Une expression de la durée

Dans le texte on relève l'expression : ... **au cours d'**un repas aux chandelles.
Cette expression exprime une durée.

Faites une phrase de votre choix sur le modèle suivant en employant au cours de.

Ex. : *Au cours de mes vacances, j'ai rencontré un ami.*

Au cours de ...., j'ai visité les Pyramides.

Au cours de ...., j'ai appris l'anglais.

Il a rencontré sa future femme au cours de ....

− ....

− ....

4. « C'est » et « cela »

C'est un habitué. Cela l'intéresse. Quelle est la différence d'utilisation entre ces deux mots : C'est et cela.

Complétez les phrases suivantes :

.... un gourmand. Il aime bien aller dans un bon restaurant.

.... un érudit. Il sait beaucoup de choses.

Il aime aller au cinéma .... le distrait.

Il lit tous les jours son journal .... lui prend du temps.

Faites deux phrases de votre choix en utilisant ces deux mots en tête de phrase.

Enrichissement lexical

a) Donnez le sens des mots suivants : un fichier, un érudit, un repas aux chandelles.

b) Donner le sens des expressions familières suivantes.

un petit café…

on rit cinq minutes…

au coin de la rue…

une bonne histoire…

Réemployez-les à votre tour dans des phrases de votre choix.

c) Voir quelqu'un de loin, ou de près. Complétez les phrases suivantes.

Quand je l'ai vu ……… je l'ai tout de suite reconnu.

De ……… il a l'air d'avoir trente ans mais quand on le voit ……… on voit qu'il a des cheveux blancs.

Dès qu'il m'a aperçu, il m'a fait ……… de grands signes affectueux.

C'est un livre intéressant, mais quand on le regarde ……… on voit qu'il y a beaucoup d'erreurs.

d) Expliquez la différence de sens entre :

Il est connu de tout le monde.

Il est connu dans le monde entier.

À votre tour faites deux phrases différentes en employant ces deux expressions.

Proposition de dictée

René est mon voisin. Il est doux et souriant. Tous les matins je le rencontre au marché où tout le monde le connaît. Il travaille beaucoup à la Bibliothèque municipale, mais aussi chez lui, même le dimanche. Il a des amis dans le monde entier car il voyage beaucoup. Il s'intéresse à l'histoire des civilisations de toute la planète. Il aime la convivialité, il sait prendre du temps pour boire un petit café avec des amis ou leur raconter une bonne histoire au coin de la rue. Tout le monde sait qu'il fait une collection de chouettes. Lorsque ses amis partent en voyage, ils lui en apportent une pour lui faire plaisir.

Application

En quatre paragraphes écrivez le portrait d'un de vos voisins. Votre portrait devra comporter obligatoirement :
- une description physique,
- deux phrases qu'il dit habituellement,
- des attitudes habituelles,
- son comportement avec les autres.

TEXTE **6**

FARIDA, UNE JEUNE ALGÉRIENNE EN FRANCE

Objectifs grammaticaux

Passé composé et imparfait
Le futur
Les degrés de supériorité et d'infériorité dans les adjectifs
L'habitude dans le passé

Objectifs lexicaux

Les conditions de vie
Les problèmes de l'immigration
Les transports

* * *

Farida est Algérienne. Ses parents sont arrivés en France il y a dix ans. Quand ils l'ont amenée à Paris, elle était petite mais elle se souvient bien de ses premières impressions. Ses parents disaient toujours : « Ici en Algérie, la vie est trop difficile. Nous devons partir en France. Tout sera plus facile là-bas. Il y a du travail pour tous. On pourra trouver un meilleur logement. » Dans sa petite tête, Farida voyait la France comme un pays où tout le monde était riche dans des maisons très hautes et très belles, où la vie serait moins dure.

Quand leur bateau est arrivé à Marseille son père a cherché tout de suite un travail et un logement. Il n'a rien trouvé. Il a dit : « Alors il faut aller à Paris. C'est la capitale. Là-bas il y a du travail pour tout le monde. » Avec tous leurs bagages ils ont pris un train à la gare de Marseille. Ils sont arrivés à Paris un jour où il pleuvait très fort et où il faisait vraiment froid. La première nuit, ils sont allés dans l'hôtel le moins cher près de la gare de Lyon. C'était un hôtel bien triste. Ils pensaient rester deux ou trois jours en attendant de trouver un logement. En réalité la recherche d'un logement pas trop cher a été très difficile. Il fallait toujours aller en banlieue et les banlieues étaient bien loin. Où était le soleil de l'Algérie? Farida, dans sa petite tête, se demandait si dans ce pays le soleil existait encore.

Le premier jour ils ont marché. Mais les distances étaient trop longues. Le second jour ils ont pris un autobus, mais ils n'ont pas su prendre les bonnes correspondances. Au bout de trois jours finalement ils ont pris le métro. Les longs couloirs où tout le monde marchait sans se voir et sans parler ont fait peur à la petite Farida. Elle tenait bien fort la main de sa maman car elle ne voulait pas se perdre. Un jour elle a entendu de loin de la musique, elle a eu envie de courir. Sa maman lui a dit: « Écoute, Farida, c'est de la musique de notre pays. On va peut-être voir enfin quelqu'un qu'on connaît. » Mais non! C'était une illusion. Personne n'a fait attention à eux. Elle pensait souvent à sa maison au soleil en Algérie quand les amis venaient boire le thé à la menthe ou l'anisette. On connaissait tout le monde là-bas. Ici on ne connaît personne. Tout le monde riait là-bas. C'était gai. Ici personne ne rit. On mangeait pour pas cher là-bas. Ici il faut tout le temps sortir de l'argent et on n'est pas chez soi. « Petite, il faut prendre ton courage à deux mains » lui a dit son papa. « Rappelle-toi toute ta vie ce que je te dis aujourd'hui: tu t'adaptes ou tu restes dans le malheur. »

* * *

Compréhension du texte

1. Qui est Farida?
2. Quelles sont ses difficultés?
3. Quel âge a-t-elle?
4. Quel est son souvenir le plus marquant?
5. Depuis combien de temps est-elle en France?
6. A-t-il été facile pour sa famille de trouver un logement?
7. À quel endroit en France a-t-elle entendu de la musique de son pays?
8. Quelles comparaisons fait-elle avec son pays?
9. Pourquoi Farida et sa famille dépensent-ils plus d'argent en France que chez eux?
10. Quels conseils lui donne son père?

Sensibilisation grammaticale

1. Quelques temps du passé

a) Relevez dans le texte des verbes au passé composé et des verbes à l'imparfait. Essayez de voir dans ce texte dans quels cas ils sont employés.

b) Mettez le verbe entre parenthèses au temps convenable.

Quand Farida est venue en France, elle (avoir) dix ans.

Quand leur bateau est arrivé à Marseille, son père (dire) : Il n'y a pas de travail pour nous ici.

Un jour Farida (entendre) de la musique africaine dans un couloir de métro.

En hiver, tous les jours Farida (avoir froid) et (se demander) où était le soleil de l'Algérie.

Pendant toute une journée, ils (marcher) pour trouver un logement.

2. Le futur

Relevez dans ce texte des verbes au futur.

Conjuguez au futur :
– le verbe être,
– le verbe avoir,
– le verbe pouvoir,
– le verbe aller.

Avec ces quatre verbes formulez vous-même quatre phrases au futur.

3. Comparatifs et superlatifs des adjectifs

a) Relevez des adjectifs au comparatif, c'est-à-dire signifiant plus ou moins.

b) Mettez au comparatif les adjectifs dans les phrases suivantes.

Le logement des parents de Farida est …… petit que ce qu'ils pensaient.

Le loyer à Paris est beaucoup …… cher qu'en Algérie

Ils ont changé d'hôtel pour en trouver un …… cher et …… triste.

Leur appartement était …… grand que leur maison en Algérie.

c) Relevez des adjectifs exprimant un superlatif (précédés de très).

Mettez au superlatif les adjectifs dans les phrases suivantes.

Farida pensait que tous les Français étaient …… riches.

Quand elle est arrivée en France, elle a été …… malheureuse dans les premières semaines.

4. L'habitude dans le passé

Les verbes à l'imparfait peuvent marquer une habitude dans le passé. Relevez dans le texte des imparfaits qui marquent l'habitude.

Écrivez un texte à l'imparfait pour exprimer ce que vous faisiez l'année dernière.

Enrichissement lexical

a) Cherchez le sens de l'expression : Je pensais **dans ma petite tête**.

b) Qu'est-ce qu'une distance trop longue ?

c) Que signifie la phrase : **en attendant** de trouver un logement ? Faites trois phrases en employant cette expression.

d) Citez les quatre transports en commun dont il est question dans ce texte.

e) Relevez les mots invariables de ce texte et écrivez-les afin d'en mémoriser l'orthographe.

f) Ici et là-bas. Écrivez trois phrases en employant ces expressions qui permettent une comparaison entre le lieu où l'on est et, par exemple, le pays d'où l'on vient.

Ici .... Là-bas, dans mon pays ....

Ici ....

Ici ....

g) Que signifie la phrase : Tu t'adaptes ou tu restes dans le malheur ? Donner un exemple pris dans votre vie ou dans celle de quelqu'un que vous connaissez pour l'illustrer.

Proposition de dictée

Farida est arrivée en France avec ses parents il y a dix ans. D'abord cela a été très difficile car elle se sentait très étrangère. Ensuite, sa famille a eu de la peine à trouver un bon logement et un travail. Au commencement, Farida était bien seule ; ses amies étaient restées en Algérie. Un jour elle a entendu de la musique dans un couloir de métro. Elle a couru pour voir les musiciens mais bien sûr elle ne les connaissait pas. Elle était souvent triste car elle pensait au temps où elle vivait dans son pays. Un jour son père lui a dit : « Petite, il faut prendre maintenant ton courage à deux mains. Tu t'adaptes ou tu restes dans le malheur. Il faudra te souvenir toute ta vie de ce que je te dis aujourd'hui. »

Application

Débat

Le sort des étrangers qui arrivent en France. Comment s'adapter ? Comment ne pas être malheureux ? Comment vivre ? etc.

Travail écrit

Farida écrit à une de ses copines restée en Algérie. Elle lui raconte sa nouvelle vie. Vous rédigez la lettre.

Texte 7

Mme Brun, institutrice d'école maternelle

Objectifs grammaticaux

L'expression de la conséquence
L'obligation
Conjugaison : les verbes apprendre, devoir, s'asseoir, savoir

Objectifs lexicaux

Le champ lexical de l'école et de la scolarité

* * *

L'école est obligatoire en France, si bien que tout enfant, dès qu'il a six ans, doit se rendre chaque jour à l'école de son quartier. Cependant, de plus en plus, les élèves commencent à fréquenter l'école beaucoup plus tôt. Dès l'âge de trois ans, les petits enfants peuvent aller à l'école en classe de « maternelle ». Ces très jeunes écoliers apprennent alors à dessiner, à chanter, à écrire leur nom, à ranger une classe. Mme Brun est l'institutrice de la maternelle. Elle nous fait visiter sa salle de classe : « Chaque élève a son portemanteau où il doit soigneusement accrocher ses habits en arrivant, et sa petite table sur laquelle il vient travailler ; quand il travaille, personne n'a le droit de le déranger ; il y a aussi le tapis sur lequel les enfants viennent s'asseoir en silence lorsque je raconte une histoire. Ils peuvent écrire sur le tableau comme ils veulent, mais il faut qu'ils sachent attendre que le précédent ait fini son dessin. L'école leur apprend aussi à vivre en commun, à respecter un règlement, à respecter leur instituteur ou leurs copains. C'est très important pour eux, affirme-t-elle, car l'école est l'apprentissage de la vie. » « Ils commencent aussi à découvrir la valeur du travail bien fait, continue-t-elle. Chaque enfant a un cahier et il en prend soin. Il l'emportera à la maison et le montrera à ses parents. C'est aussi pour lui un moyen de se valoriser à la maison. »

Mme Brun aime beaucoup ses petits élèves mais elle reconnaît que son travail est parfois bien fatigant. Le soir, ils sont souvent énervés, si bien qu'elle a beaucoup de peine à obtenir un moment de silence : « C'est important pour eux de savoir se maîtriser pendant un moment et savoir se taire ou se calmer pendant quelques minutes. Cela fait partie de l'enseignement. » Guillaume, trois ans et demi, vient lui montrer son dessin : « Tu vois, maîtresse, j'ai fait un beau soleil et ma maison avec une fumée qui sort de la cheminée. » Mme Brun examine attentivement le dessin : « C'est très beau Guillaume. » Puis elle se tourne vers nous : « C'est très important pour moi d'examiner le sujet des dessins d'enfants. Vous voyez, il a dessiné le soleil au-dessus de sa maison et nous a montré qu'il y avait du feu dans sa cheminée. C'est un bon signe. Le soleil et la fumée montrent que c'est un petit enfant heureux chez lui. »

À quatre heures et demie, Mme Brun se tient devant le portail de l'école ; elle salue les parents qui viennent chercher leurs enfants, embrasse ses petits élèves, puis quand elle se retrouve enfin seule dans le silence, avant de rentrer chez elle, elle prépare encore les cahiers des petits écoliers pour la leçon d'observation du lendemain.

* * *

Compréhension du texte

1. À partir de quel âge l'école est-elle obligatoire en France ?

2. Certains élèves peuvent-ils aller à l'école plus jeunes ?

3. Quels sont les meubles que l'on trouve dans une école maternelle ?

4. Quels sont les objectifs qui semblent importants à Mme Brun ?

5. Qu'est-ce qu'on apprend en classe de maternelle ?

6. Une institutrice de maternelle a-t-elle encore du travail quand les enfants sont partis ?

7. Comment leur apprend-elle la politesse ?

8. Qu'est-ce que la maîtrise de soi ?

9. Donner un exemple de l'éducation du respect des autres dans une classe de maternelle.

10. Les dessins des enfants sont-ils importants pour une institutrice ?

Sensibilisation grammaticale

1. Conjugaison

Conjuguez le verbe apprendre au présent et à l'imparfait.

2. Expression de la conséquence

Dans le texte on relève la phrase suivante : L'école est obligatoire, **si bien que** tout enfant…

L'expression si bien que marque la conséquence. Il faut d'abord affirmer quelque chose puis la conséquence qui en est le résultat.

Relevez dans le texte une autre expression de la conséquence avec si bien que.

Lisez à haute voix la conséquence exprimée. De quelle phrase est-elle la conséquence ?

Sur le modèle suivant, faites à votre tour une phrase dans laquelle l'expression si bien que marquera une conséquence.

> Ex. : *J'avais faim, si bien que j'ai acheté du pain.*
>
> J'avais froid, si bien que ....
>
> J'étais fatigué, si bien que ....
>
> Les élèves de la classe de maternelle faisaient du bruit, si bien que ....
>
> L'institutrice s'occupe beaucoup de chaque enfant, si bien que ....
>
> ....
>
> ....

3. L'expression de l'obligation

Relevez dans ce texte tous les mots qui marquent une obligation.

Écrivez quatre phrases pour montrer ce que les enfants doivent faire dans une école maternelle.

4. Étude ou rappel de conjugaisons

Conjuguez au présent les verbes : devoir, savoir et s'asseoir.

Enrichissement lexical

Relevez tous les mots qui sont particuliers au vocabulaire de l'école et de la scolarité.

Que signifie ces expressions :
- l'école est l'apprentissage de la vie,
- c'est un moyen de valoriser l'enfant.

Proposition de dictée

Mme Brun est institutrice dans une école maternelle. Elle apprend aux enfants à bien se comporter, à savoir se taire quand elle le demande, à vivre en société. Elle doit leur apprendre chaque jour à bien faire leur travail, si bien que c'est un métier fatigant pour elle, mais aussi très passionnant. Ses élèves l'aiment beaucoup. Elle sait leur raconter de belles histoires et examiner leurs dessins avec une grande attention. Les enfants l'embrassent toujours le soir en partant quand elle se tient à la porte de la classe pour saluer les parents. Après leur départ, elle prépare ses cahiers pour la classe du lendemain.

Application

Débat

À votre avis, quelles sont les principales qualités que l'on attend d'une institutrice ? Expliquez-le à l'aide d'exemples bien précis.

Travail écrit

Rédigez un texte écrit qui parle de vos souvenirs d'école. Utilisez au moins une fois l'expression si bien que et employez deux mots qui marquent l'obligation (vingt lignes environ).

Texte 8

Les gens qui travaillent dans le commerce

Objectifs grammaticaux

La condition
La distance
Conjugaison des verbes : acheter, avoir envie, pouvoir, vendre au présent et au futur

Objectifs lexicaux

Le vocabulaire du commerce

* * *

Tous les types de commerce existent en France. Depuis la grande surface avec tous les hypermarchés, supermarchés jusqu'aux petits commerces les plus variés dans les centres-villes : les boulangeries, les boucheries, les marchands de primeurs qui vendent des fruits et légumes, les bureaux de tabac, les fleuristes, les libraires, etc. Tous ces magasins ont une devanture colorée et attirante. Les passants, souvent très nombreux en fin de semaine, peuvent s'arrêter pour regarder les vitrines. Nathalie est étalagiste dans un magasin de prêt-à-porter situé dans une rue piétonne importante : « La présentation est essentielle. Un acheteur (ou plutôt une acheteuse) sera toujours attiré par un vêtement mis en valeur dans une vitrine. Donc je le décore avec des accessoires, des bijoux ou un foulard. Je veille à l'harmonie des couleurs avec d'autres vêtements ; par exemple si j'expose une veste, je l'expose en accompagnement avec un pull. Si ça lui plaît, la cliente aura envie d'acheter les deux. »

Bertrand est vendeur dans une librairie. « Ce qui est important pour moi, dit-il, c'est de donner aux gens l'envie d'acheter un livre. La présentation est importante mais, je parle avec lui et je lui explique que ce livre est le meilleur, qu'il le passionnera. Si je ne lui en parle pas avec conviction et intérêt, il ne voudra jamais l'acheter. »

Josiane est caissière dans une supérette : « J'aime mon métier parce qu'il me permet de parler avec beaucoup de gens. Je connais tout le monde, et tout le monde a confiance en moi. Mais, rassurez-vous, je ne me trompe pas dans mes comptes parce que je parle avec les clientes ! »

* * *

Compréhension du texte

1. Quels sont les différents types de commerce qui existent en France ?
2. Citez trois produits que l'on vend chez un marchand de primeurs ?
3. Quel est le travail de Nathalie ?
4. En quoi consiste ce travail ?
5. Quel est l'objectif essentiel d'un étalagiste ?
6. Dans quel type de commerce travaille Bertrand ?
7. Quel est l'objectif essentiel de Bertrand ?
8. Quel est le métier de Josiane ?
9. Pourquoi aime-t-elle son métier ?
10. Ce métier favorise-t-il les contacts humains ?

Sensibilisation grammaticale

1. Expression de la condition

a) Relevez dans le texte deux phrases qui marquent la condition.

b) Faites trois phrases sur le modèle suivant.

Ex.: *Si j'ai de l'argent, je m'achète une veste.*

S'il fait beau demain ....

Si je réussis mon examen ....

Si mes amis viennent demain ....

2. Expression de la distance

Depuis la grande surface... jusqu'aux petits commerces les plus variés...

À l'aide de cette structure, faites à votre tour des phrases dans lesquelles vous marquerez une distance dans le lieu et dans le temps.

– Le lieu: Depuis .... jusqu'à .... il y a mille kilomètres.

– Le temps: Depuis .... jusque .... il travaille debout.

Faites deux phrases sur ces mêmes modèles.

3. Conjugaison

Conjuguez au présent et au futur les verbes : acheter, avoir envie, pouvoir, vendre.

Enrichissement lexical

a) Relevez dans ce texte tous les noms qui expriment un métier dans le commerce.

b) Relevez tous les noms de magasins.

c) Relevez tous les mots qui sont dans le champ lexical du commerce. Cherchez leur sens dans le dictionnaire et écrivez-les.

d) Qu'est-ce qu'une devanture ? une vitrine ? une étalagiste ? un accessoire ? un foulard ? une rue piétonne ? une caissière ?

e) Que vend-on dans une supérette ? dans une librairie ? chez un fleuriste ? dans un magasin de prêt-à-porter ?

Proposition de dictée

Bertrand est vendeur dans une librairie. Il parle beaucoup avec la clientèle. Chaque jour il doit vendre des livres à des clients qui ne savent pas bien ce qu'ils veulent acheter ; il leur explique que ce livre les passionnera. Josiane est caissière dans une grande surface. Elle parle très peu à la clientèle. Mais elle connaît tout le monde et tout le monde a confiance en elle. Dans un magasin de prêt-à-porter, les vendeuses vous disent toujours que tout vous va très bien. Il ne faut pas se laisser influencer. N'oublions pas que la publicité et la présentation des vitrines vous font quelquefois acheter des objets que l'on regrette très vite.

Applications

Débat

Est-il facile de se faire influencer par la publicité ou par la présentation d'une vitrine ? Quelles sont les qualités d'une bonne publicité ? (préparation en groupes : 15 minutes).

Expression orale

Avec les mots que vous venez d'apprendre, décrivez les magasins de votre quartier.

Jeu de rôle

(préparation : en petits groupes : 15 minutes)

Sylvie vient d'essayer un pull.

Il ne lui plaît pas.

La vendeuse lui propose de l'essayer une deuxième fois.

À nouveau Sylvie n'est pas satisfaite.

La vendeuse lui dit que le pull lui va très bien.

Sylvie n'est pas convaincue.

La vendeuse lui fait remarquer que c'est une affaire exceptionnelle.

Sylvie lui dit qu'elle a vu les mêmes pulls dans un autre magasin à un prix moins cher.

La vendeuse s'énerve.

Finalement Sylvie achète le pull.

Elle le regrette tout de suite mais c'est trop tard.

Travail écrit

1. Inventez une publicité percutante pour une marque de chocolat.
2. Exposez par écrit vos idées sur la publicité :
   – ses avantages,
   – ses inconvénients (100 mots environ).

Texte 9

Mᵐᵉ Bertrand, gardienne d'immeuble

Objectifs grammaticaux

y : adverbe de lieu et pronom personnel
L'obligation
L'article partitif à la forme négative
La plupart des… beaucoup de… beaucoup plus…

Objectifs lexicaux

Le logement

* * *

Une enquête récente révèle que la plupart des Français ont un logement qui leur convient. En effet une partie importante de leur budget y est consacrée.

En ville, les Français occupent en général un appartement dans un immeuble. Les immeubles anciens ont quatre étages en moyenne. Ils n'ont pas d'ascenseur dans la plupart des cas. On monte donc les escaliers à pied. Il faut descendre chaque jour les ordures pour les placer dans une poubelle sur le trottoir. À chaque palier, il y a deux ou trois portes d'appartements. La vie y est calme et tout le monde se connaît.

Les immeubles modernes peuvent avoir jusqu'à quinze ou vingt étages. Ils sont conçus d'une manière plus moderne : ils sont tous équipés d'un ou de plusieurs ascenseurs, de vide-ordures, de grandes baies vitrées qui donnent beaucoup plus de lumière et d'air, souvent de balcons. La vie y est bien différente, mais beaucoup plus anonyme.

Madame Bertrand est gardienne d'un grand immeuble depuis dix ans. Elle connaît tous les locataires, ceux qui ont un bail de trois ans et ceux qui sous-louent des chambres pour une année scolaire. Il y a aussi quelques propriétaires qui sont là depuis long-temps. Leur appartement est plus grand. Il a au moins trois pièces, en plus de la salle de bains et de la cuisine. « Quel est votre travail, dans cet immeuble, Mᵐᵉ Bertrand ? »

– « Écoutez, d'abord je dois assurer une présence permanente. Tout le monde peut me téléphoner dans la loge; je dois pouvoir répondre à chacun. Ensuite je dois faire les escaliers et faire le ménage dans les entrées tous les matins. Il faut que je puisse renseigner les visiteurs ou les livreurs. Si un locataire est absent il faut que le livreur puisse déposer le colis chez moi. Je m'occupe aussi de l'entretien ou de la maintenance. Par exemple si une conduite d'eau éclate, c'est moi qui dois faire venir un réparateur; le jour où l'entreprise de chauffage vérifie le bon état des radiateurs, c'est moi qui m'en occupe; vous savez, c'est beaucoup de travail et beaucoup de responsabilités! »

* * *

Compréhension du texte

1. Les Français sont-ils en général bien logés? Comment le sait-on?

2. Comment s'appellent les logements en ville?

3. Quels sont les avantages d'un immeuble moderne sur un immeuble ancien?

4. Quelles sont les fonctions essentielles d'un gardien ou d'une gardienne d'immeuble?

5. Où habite-t-il?

6. Qu'est-ce qu'un bail? une sous-location? un livreur?

7. Quelle différence y a-t-il entre une baie vitrée et une fenêtre?

8. En quoi la vie dans un grand immeuble est-elle différente de la vie dans un petit immeuble?

9. Mme Bertrand est-elle gardienne de son immeuble depuis longtemps?

10. Son métier est-il contraignant? Pourquoi?

Sensibilisation grammaticale

1. « Y » adverbe de lieu et pronom personnel

Y peut être adverbe de lieu ou pronom personnel.

Quand il est adverbe de lieu on peut le remplacer par un nom qui désigne un lieu.

Par exemple: *J'ai passé mon enfance **dans cet immeuble** = J'y ai passé mon enfance.*

Il est pronom personnel quand on peut le remplacer par un nom de chose.

Ex. *Pense **à ton rendez-vous** = J'y pense*

Faites des phrases sur le modèle suivant.

Adverbe de lieu: **Dans une villa, la vie y est différente.** (= à cet endroit)

Pronom personnel: **Les loyers sont chers. Les gens y consacrent une partie de leur budget.** (= consacrent à leur loyer)

Adverbe de lieu ....

Pronom personnel ....

Adverbe de lieu ....

Pronom personnel ....

2. Expression de l'obligation « Il faut »

a) Relevez dans ce texte les expressions qui marquent l'obligation.

b) L'expression il faut, très courante en français pour marquer l'obligation, se construit de deux manières :

Il faut + infinitif : Il faut pouvoir renseigner les visiteurs.

Il faut + subjonctif : Il faut que je puisse renseigner les visiteurs.

c) Apprenez le verbe pouvoir au subjonctif.

Que je puisse	Que nous puissions
Que tu puisses	Que vous puissiez
Qu'il puisse	Qu'ils puissent

d) Les terminaisons des verbes au subjonctif sont toujours les mêmes : e, es, e, ions, iez, ent.

e) Sur le même modèle conjuguez les verbes savoir, faire et dire.

Il faut que je sache ....

Il faut que je fasse ....

Il faut que je dise ....

3. Article partitif à la forme négative

Il y a des ascenseurs
Il n'y a pas d'ascenseurs.

Il y a des locataires
Il n'y a pas de locataires.

À votre tour faites cinq phrases sur ces modèles.

4. Des expressions qui marquent la quantité

À partir des cinq modèles suivants écrivez vous-même des phrases de votre choix.

Modèles :

La plupart des Français ont un logement.

Beaucoup de Français ont un logement.

Un appartement est beaucoup plus anonyme qu'une villa.

Mme Bertrand a beaucoup de travail dans son immeuble.

Une gardienne d'immeuble est responsable d'un grand nombre d'appartements.

La plupart ....

Beaucoup de ....

.... beaucoup plus ....

.... beaucoup de ....

.... un grand nombre de ....

Enrichissement lexical

Relevez tous les mots qui concernent le logement (qui sont dans son champ lexical). Cherchez leur sens exact dans le dictionnaire, écrivez-les plusieurs fois afin de mémoriser leur orthographe et employez-les dans des phrases de votre choix.

Proposition de dictée

La plupart des Français sont contents de leur logement. Dans un immeuble en ville il y a un grand nombre d'appartements. Les gardiens d'immeuble en sont responsables. Une des fonctions d'un gardien d'immeuble consiste à renseigner les visiteurs et à entretenir les escaliers et les paliers. Ce sont eux qui doivent prévenir quand il y a une panne d'ascenseur. C'est un métier certes contraignant mais c'est un métier qui permet beaucoup de contacts humains et de diversité dans les tâches.

Application

Travail oral

Quelles sont les qualités essentielles d'un bon logement? (Quinze minutes de préparation puis chacun expose sa pensée d'un seul trait).

Travail écrit

Vous venez de vous installer dans un nouvel appartement; écrivez une lettre à votre mère pour le lui décrire.

ou

Vous cherchez un nouvel appartement. Vous écrivez à une agence de location pour lui expliquer ce que vous désirez.

Texte 10

M. François, diététicien

Objectifs grammaticaux

Opposition entre autrefois (imparfait)
maintenant (présent)
L'imparfait, temps de l'habitude
Révision de l'article partitif
Les expressions qui marquent la quantité (suite)
Les expressions qui marquent une opinion personnelle : à mon avis… en ce qui me concerne… selon moi…

Objectifs lexicaux

La nourriture
Les habitudes alimentaires
La diététique

* * *

Nous avons questionné M. François qui est diététicien. Son métier est relativement nouveau mais il le passionne. Il sait qu'il doit sans cesse concilier ce qui est bon pour le goût et ce qui est bon pour la santé. En effet, les Français se préoccupent chaque jour un peu plus de la qualité de ce qu'ils mettent dans leur assiette. Ils se méfient des pesticides sur les fruits et les légumes ; ils veulent savoir la provenance de la viande qu'ils achètent ; ils ont été alertés par les campagnes sur les modifications génétiques de certaines céréales ou sur la qualité des colorants qu'ils trouvent dans les aliments donnés à leurs enfants.

M. François est donc un spécialiste de la nutrition. À ce titre nous l'avons rencontré. Voici sa réponse à nos questions : « À votre avis, M. François, les Français sont-ils gourmands ? »

« Ah oui ! Les Français sont gourmands. Ils aiment manger bien et bon. Selon moi, autrefois ils faisaient certainement beaucoup plus de cuisine que maintenant. Dans un même repas on mangeait du poisson, de la viande, beaucoup de fromage. Maintenant on mange ou du poisson ou de la viande mais rarement les deux au même repas. En effet les Français ont généralement le grand souci de ne pas être obèses. C'est pourquoi ils mangent davantage de légumes, souvent cuits à la vapeur avec un petit morceau de beurre dessus ou un peu d'huile d'olive. On mange souvent aussi des salades composées avec de bonnes choses, des avocats, des crevettes, des noix, du fromage de gruyère ; il y a aussi les salades de type méditerranéen avec des tomates, des œufs durs, du thon, des poivrons, des oignons, des olives.

– Que mangent donc les Français au petit-déjeuner ?

– Certains respectent la tradition : du café, avec des tartines de beurre et de la confiture. En ce qui me concerne je conseillerais aux jeunes de prendre plutôt un bol de céréales avec du lait froid ou un yaourt. Les adultes boivent généralement du café ou du thé mais les jeunes préfèrent un jus de fruit.

– Monsieur François, est-ce que les Français passent encore beaucoup de temps à faire la cuisine ?

– Autrefois on mangeait souvent une purée ou un gratin de pommes de terre, mais il fallait éplucher les pommes de terre. Maintenant, on trouve les purées en sachet et les gratins surgelés sont délicieux.

Beaucoup de gens aussi vont chez le traiteur et achètent des plats tout préparés. Cependant, à mon avis, lorsqu'on est très gourmand, on fait sa cuisine soi-même, on choisit ses produits et son mode de cuisson, on sélectionne ses épices préférées et on cherche une bonne recette dans un bon livre de cuisine. Et surtout n'oubliez pas que la bonne cuisine commence au marché. »

* * *

Compréhension du texte

1. Quel est le métier de M. François ?

2. Que signifie exactement ce mot ? Quel est son féminin ?

3. Quels sont les conseils que donne M. François ?

4. Pourquoi les Français ont-ils le souci de veiller à leur nourriture ?

5. Quelle est leur grande crainte ?

6. Est-il fréquent en France de manger dans un même repas du poisson et de la viande ?

7. Quels sont les conseils de M. François pour préparer un petit-déjeuner sain et agréable ?

8. Les Français consacrent-ils beaucoup de temps à faire la cuisine ?

9. Quels sont les plats que l'on peut acheter tout préparés ?

10. Dans quel genre de magasin ?

Sensibilisation grammaticale

1. Le passé + le présent

Autrefois on faisait plus de cuisine, maintenant on achète des plats tout préparés.

Faites trois phrases de votre choix sur ce modèle.

Autrefois .... maintenant ....

L'année dernière .... maintenant ....

Il y a dix ans .... maintenant ....

2. L'imparfait d'habitude

Relevez dans le texte tous les verbes à l'imparfait qui marquent une habitude dans le passé.

Écrivez un texte à l'imparfait d'habitude en exprimant vos anciennes habitudes alimentaires et en montrant que maintenant vous avez le souci de manger mieux.

Il y a quelques années, je mangeais ....

Conjuguez à l'imparfait les verbes : manger, acheter, cuire, boire, être gourmand.

3. Les articles partitifs (suite)

Autrefois on mangeait du poisson, de la viande, des œufs, des fromages.

Mettez la phrase ci-dessus à la forme négative en faisant les changements nécessaires.

4. Le discours personnalisé

Relevez dans le texte trois expressions qui montrent que M. François parle en son nom propre.

En utilisant ces expressions à votre tour, écrivez quelques lignes pour exprimer que vous considérez que fumer est mauvais pour la santé.

Enrichissement lexical

a) Relevez tous les mots du champ lexical de la nourriture, écrivez-les.

b) Expliquez en une seule phrase les mots suivants : la provenance, un pesticide, une modification génétique de céréales, un colorant, une tartine, un aliment sain.

c) Employez le verbe concilier dans une phrase écrite de votre choix.

d) Que signifie la phrase finale : … la bonne cuisine commence au marché ?

Proposition de dictée

Manger sain est devenu important pour chaque Français. Autrefois on ne prêtait pas attention à cette précaution mais maintenant les Français ont entendu de nombreuses campagnes de prévention contre des produits plus ou moins mauvais pour la santé comme les pesticides, les colorants, les viandes dont on ne connaît pas la provenance et ils se méfient beaucoup plus. C'est pourquoi ils questionnent souvent des diététiciens capables de leur donner de bons conseils. Les habitudes alimentaires varient souvent d'un siècle à l'autre. Ainsi la composition du petit-déjeuner a beaucoup changé ces dernières années avec l'apparition des céréales industrialisées et des jus de fruits vendus dans le commerce. D'une manière générale les menus se sont allégés car de plus en plus les Français craignent de devenir obèses.

Application

Travail en groupe

À l'aide du vocabulaire relevé, composez des menus de votre choix.
– un menu de jour ordinaire à la maison,
– un menu pour la cantine d'une école,
– un menu pour un jour de fête de votre choix.

Travail personnel écrit ou oral

Vous êtes diététicien. Vous voulez convaincre quelqu'un qui est venu vous consulter de la nécessité de ne pas manger n'importe quoi (20 minutes de préparation puis exposé de votre idée).

Texte 11

Le mercredi de Laurence, mère de famille

Objectifs grammaticaux

L'expression du temps et de l'heure
Les verbes de mouvement
L'expression de l'anonymat : Mme Toulemonde, Mme Unetelle

Objectifs lexicaux

Les loisirs et le sport

* * *

Nous sommes dans une civilisation où les loisirs tiennent une place importante. Autrefois, le travail professionnel occupait l'essentiel de la vie des Français. Maintenant, avec l'arrivée des lois sur le temps de travail, il reste beaucoup de temps libre à la maison. Que faire ? Comment utiliser ce temps ?

Les loisirs sont évidemment très variés. Ils dépendent des goûts, des tempéraments et aussi du porte-monnaie car il est bien rare que les loisirs ne coûtent pas cher.

Laurence a un poste administratif à la préfecture de son département. Avant, elle travaillait toute la semaine. Elle était en vacances le samedi et le dimanche. Maintenant, depuis un an, elle a la possibilité de prendre un jour de congé de plus par semaine. Comme madame Toutlemonde, elle prend évidemment le mercredi, jour où ses enfants sont à la maison. Elle gère leurs activités et leurs loisirs, mais pour elle c'est une rude journée, ce n'est pas vraiment un jour de repos. Voyons plutôt.

Son aîné, Thomas, joue de la trompette. Le mercredi matin elle le conduit à son cours de 10 à 11 heures, puis elle le conduit ensuite à son cours de tennis de 11 h 30 à 12 h 30. Sa fille cadette suit des cours de danse l'après-midi de 14 h à 15 h 30. Elle l'accompagne donc à quatorze heures et retourne la chercher une heure et demie plus tard. Quant à son dernier fils il joue au foot sur un terrain situé à l'extérieur de la ville. Elle le conduit encore au stade à partir de 16 heures, puis retourne le chercher deux heures plus tard.

Sa seule distraction et son seul moment de repos le mercredi, c'est le soir quand elle peut enfin s'asseoir devant la télévision.

Il n'est pas rare maintenant de voir des commerçants fermer le mercredi, parce qu'ils s'occupent des loisirs de leurs enfants. Il est presque impossible de prendre un rendez-vous chez le médecin un mercredi. Un répondeur vous annonce invariablement : « Le docteur reçoit tous les jours sauf le mercredi et le samedi. » Si vous allez dans un bureau et que vous demandiez précisément madame Unetelle, on vous répond : « Madame Unetelle ne travaille pas le mercredi. Revenez demain matin. Elle sera là. »

Le mercredi est devenu jour d'activités et de loisirs en France pour les enfants et les adolescents, mais ce n'est jamais un jour de repos pour les parents.

Laurence est-elle satisfaite de cette nouvelle organisation de son temps libre : « Eh bien, oui et non. Ma réponse vous paraît ambiguë ? – C'est bien probable, parce que pour moi aussi mon jugement est ambigu sur la question. Oui, parce que j'ai plus de temps à consacrer à mes enfants – et c'est une bonne chose. Et je m'en réjouis. Non, parce que pour moi le mercredi est une journée éreintante. Je ne fais que courir toute la journée. Quand arrive le soir, je suis épuisée et j'ai l'impression à la fois de ne pas avoir eu une minute à moi et en même temps de n'avoir rien fait. Ce n'est pas satisfaisant. »

* * *

Compréhension du texte

1. Quel est le métier de Laurence ?

2. Pourquoi ne travaille-t-elle pas le mercredi ?

3. De qui parle-t-on lorsqu'on parle de Mme Toutlemonde ou de Mme Unetelle ?

4. Quels sont les autres jours de congé habituels en France ? Tous les métiers peuvent-ils bénéficier de ces jours ?

5. Combien Laurence a-t-elle d'enfants ?

6. Quelles sont leurs activités artistiques et sportives le mercredi ?

7. À quel moment Laurence peut-elle se reposer le mercredi ?

8. Pourquoi est-il difficile d'avoir un rendez-vous chez le médecin le mercredi ?

9. À quelle heure Laurence va-t-elle chercher son dernier fils au stade de foot ?

10. Que signifie « une rude journée » ?

11. Laurence est-elle satisfaite de son organisation ?

Sensibilisation grammaticale

1. L'expression du temps et de l'heure

a) Relevez dans le texte toutes les expressions qui marquent une durée de temps marquée par des heures précises.

b) Écrivez à votre tour l'emploi du temps précis de votre journée d'hier.

c) Complétez les phrases suivantes par tôt ou tard.

Quatorze heures, c'est plus …… que midi.

Dix-huit heures, c'est plus …… que vingt heures.

Minuit c'est plus …… que midi.

Le matin c'est plus …… que le soir.

2. Les verbes de mouvement

a) Relevez dans le texte deux verbes de mouvement.

b) En connaissez-vous d'autres? Écrivez-les à l'infinitif.

c) Sachant que les verbes de mouvement se construisent avec l'auxiliaire être complétez les phrases suivantes en mettant l'infinitif entre parenthèses au passé composé.

Hier, Matthieu …… (aller) au stade pour jouer au foot.

Je …… (venir) pour vous apporter un cadeau.

Nous …… (partir) car il était tard.

Vous …… (sortir) avec un si grand froid?

Il …… (monter) chez moi avec son frère.

3. L'expression de l'anonymat

a) Relevez dans le texte un pronom indéfini qui marque l'anonymat.

b) Écrivez deux phrases dans lesquelles on et nous seront employés avec à peu près le même sens.

c) Relevez deux autres noms de l'anonymat du langage courant. En connaissez-vous d'autres?

4. Les pronoms personnels

a) Relevez les pronoms personnels du texte. Qui désignent-ils?

b) Complétez les phrases suivantes.

Sa fille va à la danse. Elle …… conduit à 14 heures tous les mercredis.

Le fils aîné de Laurence joue de la trompette. Elle …… emmène à son cours.

Ses amis sont chaleureux. Elle …… invite souvent.

Mon médecin ne travaille pas le mercredi. Je …… regrette.

Enrichissement lexical

a) Relevez dans le texte les mots qui sont nouveaux pour vous.

b) Que signifie : Gérer une activité ? Les loisirs dépendent aussi du porte-monnaie ? Une réponse ambiguë ? Je ne fais que courir toute la journée ? Être éreinté ? Être épuisé ?

Proposition de dictée

Les mères de famille qui ont une profession choisissent souvent le mercredi comme jour de congé. En effet ce jour-là les enfants sont en vacances. Il faut donc s'occuper d'eux, car il n'y a personne pour les garder à la maison. Laurence travaille dans une administration. Ses trois enfants ont tous des activités différentes dans la journée du mercredi et elle doit les conduire dans les lieux les plus divers. L'aîné va à son cours de trompette, la fille suit un cours de danse et le troisième joue au foot sur un terrain situé hors de la ville. Toute la journée elle court pour les conduire. Le soir elle est éreintée.

Application

Exercice oral (sans préparation)

Répondez en faisant des phrases :

Quels sont vos goûts personnels pour les loisirs ?

Quels sont les sports que vous aimez ?

Quelles sont vos distractions préférées ?

Travail écrit

Les vacances commencent. Vous avez deux mois devant vous. Vous invitez un ami à venir chez vous. Par écrit vous organisez un programme pour que personne ne puisse s'ennuyer, tout en gardant un budget raisonnable.

Texte 12

Benoît est « ado »

Objectifs grammaticaux

Les adjectifs possessifs
La négation (suite) ne pas et ne plus
Le gérondif
Quelques verbes d'opinion

Objectifs lexicaux

Les diminutifs
Quelques mots d'argot

* * *

– Qu'est-ce que cela veut dire « un ado » ?

– Un ado c'est le diminutif d'un adolescent ; cela veut dire que c'est un jeune qui n'est plus un enfant, mais qui n'est pas encore un adulte. À vrai dire, c'est un jeune qui n'a pas encore une personnalité bien marquée mais qui a envie d'en avoir une.

Le plus simple pour lui, c'est donc de s'aligner un peu sur les autres, de les copier sans faire exactement comme eux et de se mettre un peu en retrait de ses parents et de sa famille.

Benoît a 14 ans depuis quelques mois. Jusqu'à présent il n'accompagnait même pas sa mère quand elle allait dans un magasin lui acheter des vêtements. Maintenant il apporte le plus grand soin au choix de ses habits qu'il appelle ses « fringues » comme le font ses copains. Il dit : « Il faut que mes fringues aient une marque bien connue et que celle-ci puisse se lire soit sur une manche soit dans le dos. » Pour lui, la marque qui pourra être vue est plus importante que tout. Depuis deux ans des magasins entièrement spécialisés dans les fringues pour les ados ont ouvert leurs portes dans sa ville.

Jusqu'à présent, il écoutait de la musique (ou plutôt il n'écoutait pas) quand ses parents mettaient un CD. C'était souvent du Bach ou du Mozart. Il avait l'habitude de l'entendre de loin. Maintenant, il a sa propre musique, mais ce n'est plus du tout de la musique classique qu'il déteste désormais. Il connaît tous les chanteurs, tous les orchestres et les dates de concerts de rock dans toute la France. Pour son anniversaire, il a dit à ses parents : « Je voudrais une "chaîne" pour mettre dans ma chambre. » Donc maintenant il peut écouter en chantant lui aussi, en marquant la mesure avec le pied et en se déhanchant pour scander sa propre musique. Pour pouvoir mettre la musique très fort, il a besoin de s'enfermer à clé dans sa chambre. De toute façon, il est persuadé que ses parents ne le comprennent pas. Il ne pense pas qu'il puisse un jour parler avec eux de tous ses problèmes d'adolescent. D'ailleurs il n'utilise plus le même vocabulaire qu'eux. « C'est ma façon de parler ; ce n'est pas la vôtre. »

Il a laissé pousser ses cheveux. On ne voit plus bien ses yeux. En réalité, il est content de cacher son front car il est plein de boutons.

Il n'aime plus sortir avec ses parents et encore moins avec ses frères et sœurs. Il a de nombreux copains. Ce sont eux sa véritable famille maintenant. Il croit qu'ils sont les seuls sur terre à pouvoir le comprendre. On parle de tout et de rien et surtout on rit beaucoup. On éclate de rire pour un rien. Cela met une bonne ambiance. À plusieurs reprises il a déjà été invité à une « boum ». On a dansé tous ensemble, on a retrouvé des filles, on a parlé, on a échangé des cigarettes. Ces soirs-là, les filles de la classe, on ne les avait pas reconnues tant elles étaient belles. Pour la soirée elles s'étaient maquillées, elles avaient mis du rouge à lèvres et des talons hauts.

Évidemment il est amoureux, mais il ne le dit à personne. Cela le gênerait trop. Il se contente d'envoyer au moins six fois par jour à sa belle des « textos » sur son téléphone portable et d'en recevoir à son tour avec une satisfaction qu'il ne sait pas dissimuler.

* * *

Compréhension du texte

1. Qui est Benoît ?
2. Dans quelle catégorie de la population peut-on le situer ?
3. Trouver dans le texte des éléments caractéristiques de cette catégorie de population.
4. Quelle est son attitude envers ses parents ?
5. Que représentent pour lui ses copains ?
6. Quelle est son attitude vis-à-vis des filles de son âge ?
7. Quel genre de musique aime-t-il ?
8. Comment est-il habillé ?
9. Comment est-il coiffé ?
10. Que s'est-il passé au cours de la soirée où il est allé ?

Sensibilisation grammaticale

1. Les possessifs (révision)

a) Relevez les possessifs que vous trouvez dans le texte.

b) Remplacez les pointillés par le possessif qui convient.

Benoît a une amie. C'est …… amie.

Il a une chaîne Hi-fi dans sa chambre. C'est …… chaîne personnelle.

Il achète des fringues avec une marque connue. Ce sont …… fringues.

Il ne s'occupe pas des problèmes de ses parents. « Ce sont …… problèmes » dit-il.

Il ne regarde plus le chat de la famille. « C'est …… chat et non plus le ……! »

Il emploie un vocabulaire différent de celui de ses parents. Il leur dit : « C'est …… langage et non le …… »

2. La négation (suite)

a) Relevez dans le texte toutes les formes de négation.

b) Quelle différence faites-vous entre ne pas et ne plus ?

c) Faites deux phrases de votre choix en utilisant ces deux formes de négation.

3. Le gérondif : « en » + le verbe avec la terminaison « ant »

Dans le texte on relève la phrase : Il écoute de la musique en chantant…

En chantant marque que les deux actions se passent en même temps et indique aussi la manière dont Benoît se comporte. C'est le gérondif.

Relevez dans le texte deux autres gérondifs.

Sur ce modèle écrivez trois phrases contenant un gérondif.

– …………………………………………

– …………………………………………

– …………………………………………

4. Les verbes d'opinion

Les verbes croire et penser sont des verbes d'opinion.

Quand ils sont à la forme affirmative, ils sont suivis de l'indicatif.

Quand ils sont à la forme négative, ils sont suivis du subjonctif.

Ex. : *Je crois qu'il fera beau demain.*

Je ne crois pas qu'il fasse beau demain.

Je pense qu'il fera beau demain.

Je ne pense pas qu'il fasse beau demain.

Sur ces modèles, remplacez le verbe à l'infinitif par le verbe qui convient.

Je crois qu'il (venir) ce soir.

Je ne crois pas qu'il (venir) ce soir.

Je pense qu'il (faire beau) demain.

Je ne pense pas qu'il (faire beau) demain.

Il pense que ses copains (être) ses meilleurs amis.

Il ne pense pas que ses copains (être) ses meilleurs amis.

Enrichissement lexical

1. Les diminutifs

Ado est diminutif du mot adolescent. Citez au moins cinq diminutifs que vous connaissez et que les Français emploient familièrement.

2. L'argot

Les fringues = …………

Une boum = …………

Les copains = …………

Citez cinq mots d'argot courant (ou plus si vous le pouvez) que vous entendez fréquemment et que vous connaissez bien.

Proposition de dictée

L'adolescence est une période difficile de la vie. Les transformations physiques entraînent des transformations psychologiques. À un moment, l'enfant qui n'est plus un enfant, mais pas encore un adulte, a besoin de se sentir différent du reste de sa famille. Il se coupe des autres et se referme sur lui-même. Il n'y a plus que ses copains qui sont importants pour lui. Leur opinion a une grande valeur dans sa façon de penser.

Application

À l'oral

Exposés

  – Si vous deviez donner des conseils à un adolescent que lui diriez-vous ?
  – Que pensez-vous de la période de l'adolescence ?

À l'écrit

Benoît veut inviter ses copains à une « boum » à l'occasion de son anniversaire. Vous rédigez l'invitation.

Texte 13

Jean-Claude, médecin de campagne

Objectifs grammaticaux

L'expression de l'âge
L'expression du choix

Objectifs lexicaux

La santé

* * *

Jean-Claude frise la quarantaine. Il a fait de longues années d'études après le bac pour être médecin. À la fin de ses études, il s'est trouvé devant une alternative : ou être médecin généraliste et installer un cabinet tout de suite ou bien continuer encore de longues années d'études, passer le concours de l'internat[1] puis celui de chef de clinique[2] et enfin devenir médecin des hôpitaux. Il a choisi d'ouvrir un cabinet, donc d'être médecin généraliste.

Là encore, il s'est trouvé devant une nouvelle alternative : soit s'installer en ville, donc avec un nombre restreint de visites quotidiennes en général dans la proximité, soit installer un cabinet à la campagne avec une perspective de longs et pénibles déplacements chaque jour. C'est pour cette dernière solution qu'il a opté, pensant ainsi être plus proche de la vie quotidienne de ses patients. Ce n'était pas la plus facile.

Généralement, à huit heures trente, quand Jean-Claude ouvre la porte de son cabinet de consultation, la salle d'attente est déjà bondée. Les patients sont assis sur des chaises le long des murs. Une jeune femme est enceinte. Certains malades toussent, un garçon d'une douzaine d'années a un bras en écharpe, certains ont l'air de souffrir, d'autres ont visiblement de la fièvre. Des mamans tiennent des bébés dans leurs bras, une femme, non loin de la cinquantaine, accompagne sa mère, très âgée, pas loin des 90 ans. C'est

---

1. Concours qui donne le titre d'interne et permet d'exercer des fonctions dans un hôpital.

2. Concours de niveau supérieur à celui de l'internat.

l'hiver si bien que la période des rhumes et des grippes est déjà commencée. À treize heures, il a pu recevoir tout le monde, écouter chacun, donner une prescription à tous. Il prend alors sa voiture et commence la tournée de ses visites, distantes souvent d'une vingtaine de kilomètres : un nourrisson de trois mois qui a des coliques ; dans le village voisin, la vieille grand-mère octogénaire qui s'est cassé le col du fémur, Mme Mignard sur le point d'accoucher ; plus loin le vieux fermier qui a une grosse bronchite depuis trois semaines, le petit enfant du boulanger (deux ans) qui a de la rhino-pharyngite et une grosse fièvre, ainsi de suite. Nous lui avons demandé : « Qu'est-ce qui est le plus dur pour vous pendant ces tournées de visites ? » Sa réponse a été rapide : « C'est quand il faut prendre la décision impérative de faire hospitaliser ou opérer quelqu'un qui ne le veut pas. Tenez, cela m'est arrivé pas plus tard que la semaine dernière. Un vieux bonhomme de 80 ans, perdu tout seul dans sa montagne en plein hiver. Il avait besoin de soins et de toute une assistance au quotidien pour sa nourriture et son entretien. J'ai passé tout l'après-midi pour essayer de le convaincre d'aller à l'hôpital. Il voulait rester chez lui ; il ne voulait rien entendre. Quand les pompiers sont venus le chercher il est parti en pleurant ; cela m'a fendu le cœur. »

* * *

Compréhension du texte

1. Quel est le métier exact de Jean-Claude ?
2. Pouvait-il au moment de ses études choisir une autre voie ? Laquelle ?
3. Pourquoi a-t-il choisi cette option ?
4. Comment s'organisent ses journées ?
5. Quels sont les détails exprimés dans le texte qui montrent que Jean-Claude est médecin de campagne ?
6. Qu'est-ce qui vous paraît dur dans cette vie de médecin ?
7. Et à lui, qu'est-ce qui lui paraît le plus dur ?
8. Trouvez trois mots qui vous paraissent bien définir le caractère de Jean-Claude.
9. À votre avis quelles sont les qualités essentielles d'un bon médecin généraliste ?
10. Jean-Claude est-il un homme de cœur ? À quoi le voyez-vous ?

Sensibilisation grammaticale

1. Expression de l'âge

Trouvez dans le texte plusieurs façons d'exprimer l'âge.
Employez ces expressions dans des phrases de votre choix.

2. Expression de l'alternative

Trouvez dans le texte des mots qui expriment le choix, l'alternative.

À partir des données suivantes, intégrez dans des phrases de votre choix les alternatives proposées :

– rester en France/repartir dans mon pays,

– louer une chambre d'étudiant en ville/faire une demande pour avoir une chambre en résidence universitaire,

– obtenir une bourse/chercher un petit boulot,

– aller voir un généraliste/s'adresser à un spécialiste.

Enrichissement lexical

Relevez dans le texte tous les mots qui relèvent du vocabulaire médical.

Que signifient les mots et les expressions suivantes.

– Une alternative ? un nourrisson ? un cabinet de consultation ? un patient ? un bras en écharpe ? hospitaliser ?

– Friser la quarantaine. Être perdu dans sa montagne. Il ne voulait rien entendre.

Dites le contraire de :

– une salle d'attente bondée,

– il a pu recevoir tout le monde,

– sa réponse a été rapide.

Proposition de dictée

En France, on ne peut être médecin qu'après de longues et difficiles années d'études. Les médecins généralistes qui exercent à la campagne sont souvent en face de décisions difficiles à prendre. Il ne leur suffit pas d'être dévoué, il faut aussi être compétent et sûr de soi car bien souvent ils doivent prendre rapidement des décisions difficiles et lourdes de conséquences. Malgré cela, tous ceux qui ont le cœur généreux pensent que c'est un des plus beaux métiers du monde qui permet d'aider et de soulager ceux qui sont dans la détresse du fait de leur maladie.

Application

Jeu de rôle

Mme Durand, la quarantaine, vient voir Jean-Claude pour une consultation. Imaginez le dialogue (deux élèves : 10 minutes de préparation).

Débat en groupe

Tout le monde peut-il être médecin ?

Quelles sont les qualités requises pour être un bon médecin ?

Travail écrit

En France, pour qu'un malade puisse être hospitalisé, il est nécessaire d'avoir la prescription d'un médecin généraliste.

Supposez que vous êtes un médecin généraliste. Vous écrivez une prescription pour faire hospitaliser un de vos patients (6 lignes).

TEXTE 14

CHRISTOPHE
OU LA PASSION
DE LA TERRE

Objectifs grammaticaux

L'imparfait d'habitude
Le futur dans le passé

Objectifs lexicaux

Le vocabulaire de l'agriculture

* * *

« J'ai une sorte d'affinité avec la terre » nous a dit Christophe quand nous sommes entrés dans sa maison. « Cela ne s'explique pas. Cela se constate. C'est tout. Je ne peux pas vivre si je n'ai pas de la terre sous mes pieds et des prés devant les yeux. J'ai la terre dans le sang. »

Christophe est né dans une ferme du Dauphiné[1]. Son père était agriculteur-éleveur. Il avait un troupeau d'une dizaine de vaches laitières et exploitait des champs de blé, d'orge et quelques vignes. Dans son enfance, il a vu tous les soirs les habitants du village qui se rendaient à la ferme pour aller chercher le lait des vaches que ses parents venaient de traire. On parlait un moment, on rencontrait les voisins, on était au courant de tous les événements du village. Les semailles, les moissons, le temps des foins étaient des périodes très chargées de travail qui étaient comme le calendrier de l'année. Quand Christophe était petit, il lui est arrivé très souvent de prendre la fourche[2] dès son retour de l'école le soir pour aider ses parents.

Arrivé à l'âge adulte, Christophe n'a jamais pensé qu'il pourrait faire autre chose que de s'occuper de cette terre que ses ancêtres, son grand-père et son père avaient tant

---

1. Région du Sud-Est de la France, dans les Alpes, dont Grenoble est la capitale.

2. Instrument à main composé d'un long manche muni de plusieurs dents. On s'en sert couramment pour les travaux agricoles en particulier pour regrouper l'herbe coupée, le foin.

travaillée. Il s'est mis tout naturellement à la tâche. Quand son père a vieilli, c'est tout naturellement aussi qu'il a pris la tête de l'exploitation.

Cependant, à cette époque, le monde a changé et l'agriculture aussi. La mairie lui a acheté à bas prix une partie de ses terres pour y construire une école, une piscine puis un stade municipal. Il a transformé un peu son élevage car la traite des vaches était une contrainte tri-quotidienne qui le fatiguait trop et empêchait toute évasion. Sa femme le supportait mal. Il a acheté cinquante veaux et des génisses pour ne plus s'occuper que de la viande de boucherie. En laissant son troupeau pendant toute la belle saison dans des pâturages, il arrivait à rentabiliser son exploitation.

Si le métier a changé, son cœur n'a pas changé. Il aime toujours le soir se promener dans ses terres, regarder les sillons bien droits, ou le blé vert qui commence à lever. Il aime regarder ses veaux et ses génisses qui paissent dans les pâturages. Il regarde souvent sa ferme dans laquelle il a passé toute sa vie, son vieux toit de tuiles qui se détache sur le bleu du ciel ou le blanc éclatant des gros nuages d'été qui roulent d'un côté à l'autre de l'horizon en prenant des formes inattendues. Et le soir, quand il mange la soupe dans sa cuisine, il sait que sur cette même table plusieurs générations de paysans de sa famille ont partagé tant de repas. « Vous savez, on aura toujours besoin des agriculteurs car ils assurent la nourriture d'un pays. Mais c'est un métier qui est devenu trop dur. Il y a bien peu de jeunes maintenant qui veulent se salir les pieds et les mains toute leur vie pour faire un métier qui rapporte si peu. »

* * *

Compréhension du texte

1. Quel était le métier du père de Christophe ?

2. Avait-il une grosse exploitation agricole ?

3. Faisait-il de l'élevage ? Sous quelle forme ?

4. Christophe fait-il toujours de l'élevage ? Sous quelle forme ?

5. Pourquoi a-t-il fait ce choix ?

6. Où va son troupeau à la belle saison ?

7. Pourquoi Christophe a-t-il moins de terres que son père ?

8. Quels sont les mots qui montrent ou qui font comprendre que Christophe aime sa ferme natale ?

9. Pensez-vous que Christophe quittera un jour cette maison ? Pourquoi ?

10. Pourquoi beaucoup de jeunes ne veulent-ils pas être agriculteurs ?

Sensibilisation grammaticale

1. L'imparfait d'habitude (suite)

Relevez dans ce texte des imparfaits qui marquent une habitude dans le passé.

Écrivez quelques lignes décrivant une autre habitude collective avec on. Par exemple « chez le boulanger » : Autrefois, tous les matins, on ....

2. Le futur dans le passé

a) Sur le modèle de la phrase :

Christophe a pensé qu'il pourrait faire autre chose, (un verbe au passé suivi d'un verbe qui devrait être au futur mais qui a pris la forme du conditionnel en raison de la concordance des temps. On le désigne alors sous le nom de futur dans le passé).

Remplacez l'infinitif entre parenthèses par un futur dans le passé dans les phrases suivantes.

Christophe a toujours pensé qu'il (devoir) un jour moderniser son exploitation agricole.

Il a compris que tout (ne pas être) facile.

Il a vu qu'il (ne pas avoir) l'argent nécessaire pour construire une nouvelle exploitation.

Il savait que son père (être) heureux de le voir reprendre la ferme.

Il a toujours su qu'il (aimer) ce métier.

b) Sachant que les terminaisons du conditionnel sont toujours les mêmes : ais, ais, ait, ions, iez, aient conjuguez au conditionnel les verbes être, avoir, aimer, devoir.

Enrichissement lexical

a) Que veut dire avoir des affinités ? Donnez des exemples concrets.

b) Relevez tous les mots relatifs à l'agriculture.

Dans une colonne, vous notez ceux qui relèvent de la culture, dans une autre ceux qui relèvent de l'élevage.

c) Écrivez les noms de tous les animaux que l'on peut rencontrer dans une ferme.

d) Que veut dire l'expression J'ai la terre dans le sang ?

Proposition de dictée

Christophe est agriculteur en Dauphiné. Son père était un paysan qui élevait quelques vaches et vendait leur lait le soir dans sa ferme. Christophe a transformé l'exploitation agricole. Il a supprimé les vaches laitières et a acheté à leur place une cinquantaine de veaux et de génisses qu'il met en pâturage à la belle saison.

Christophe a toujours eu des affinités avec la terre. Il a la terre dans le sang. Il aime se promener le soir dans ses terres, regarder les sillons bien droits ou le blé qui commence à pousser. Les semailles, les moissons, le temps des foins sont pour lui les étapes importantes de son calendrier. Il aime son métier mais il sait que c'est un métier qui est devenu trop dur pour les jeunes.

Application

Travail oral

Exposés

– Une seule personne expose à ses camarades en cinq minutes à peu près les avantages du métier d'agriculteur.

– Une seule personne expose à ses camarades en cinq minutes à peu près les inconvénients du métier d'agriculteur.

Débat
(préparation en groupe : 15 minutes)

Les problèmes de l'agriculture individuelle à notre époque.

Travail écrit

– Vous êtes journaliste. Vous faites un reportage sur la vie agricole en France.

– Christophe écrit une lettre à la mairie de son village pour exprimer son indignation d'avoir été exproprié. Il ne comprend pas qu'on puisse lui acheter ses terres à bas prix pour construire un stade et une piscine.

Texte 15

Adrien, chauffeur de bus à Paris

Objectifs grammaticaux

Expression de la distance
L'expression de la durée
Cas d'inversion du sujet

Enrichissement lexical

Les transports
Aperçu de quelques monuments ou quartiers de Paris

* * *

Adrien a une cinquantaine bien sonnée. Il est conducteur de bus à la RATP[1] à Paris depuis vingt ans, affecté à la ligne 27 depuis huit ans. Il aime son métier tout en disant que c'est un métier très fatigant car il comporte de lourdes responsabilités. Conduire une centaine de personnes à la fois au milieu des embouteillages est un gros souci permanent.

« J'aime "ma" ligne 27 car c'est une ligne de prestige. Elle passe par les plus beaux endroits de Paris, nous explique-t-il. J'aime quitter la gare Saint-Lazare, mon point de départ, car tout le quartier est très animé. J'aime regarder les étals d'huîtres toutes fraîches devant les restaurants situés au pied de la ligne qui les amène directement de l'océan. Tout de suite après, ce sont les grands magasins du Printemps qui attirent les étrangers du monde entier par l'élégance de la mode exposée dans les vitrines. Quelque cent mètres plus loin, c'est l'Opéra de Paris, un des monuments les plus prestigieux de la capitale où les plus grands chanteurs du monde se sont produits. Au bout de l'avenue de l'Opéra et de ses beaux bâtiments c'est la Comédie-Française avec tout son passé de talents et de cultures. Un peu plus loin on passe devant le Louvre et sa pyramide, puis on longe la Seine pendant un bon moment jusqu'à Notre-Dame, la grande cathédrale que l'on considère comme le cœur de Paris car c'est là que se sont toujours déroulées les grandes cérémonies de la nation. » Adrien est pensif. Nous respectons son silence ;

---

1. Régie autonome des transports parisiens.

sans doute imagine-t-il le sacre de Napoléon ou le Te Deum[2] de la Libération[3] ou d'autres événements marquants. Les touristes sont nombreux autour de nous. C'est un des endroits les plus fréquentés de Paris. En cette soirée d'hiver où la nuit commence à tomber, tous les réverbères s'allument en même temps. Depuis janvier 2003, Notre-Dame a un éclairage de toute beauté qui met en valeur les détails de l'architecture et la blancheur incomparable de la pierre. Le « 27 » traverse maintenant le pont Saint-Michel. Sous le pont passe un bateau-mouche[4] plein de touristes émerveillés. On entend un moment la musique à bord puis très vite on remonte le boulevard Saint-Michel, le centre du Quartier Latin, le quartier de la Sorbonne, le quartier des étudiants, toujours plein de vie et de bruits. De loin, on aperçoit les grilles dorées du jardin du Luxembourg avec toute la beauté des parterres que l'on aperçoit de la vitre du bus.

Le « 27 » va maintenant continuer sa route qui le fera passer devant les grandes écoles de la rue Gay-Lussac, de la rue d'Ulm, devant la manufacture des Gobelins[5], puis la place d'Italie. Il finira sa course dans le 13e où, après quelques minutes de stationnement, il reprendra en sens inverse le même chemin avec 29 arrêts devant des abribus où se pressent les voyageurs. Pendant huit heures par jour Adrien fera la navette, mais il aime son métier et ne changerait pour rien au monde sa ligne contre celle d'un autre.

---

2. Chant religieux en latin de remerciement à Dieu en général pour une victoire.

3. Il s'agit de la Libération de Paris en août 1944. La France était alors occupée par les armées allemandes. Le général de Gaulle, avec l'aide des armées alliées, essentiellement américaines et anglaises, a conduit les opérations. Son triomphal défilé sur les Champs-Élysées s'est terminé par une célèbre cérémonie à Notre-Dame de Paris.

4. Bateau destiné au tourisme sur la Seine, appelé ainsi parce qu'il était autrefois fabriqué à La Mouche, dans la banlieue de Lyon.

5. Célèbre manufacture nationale fondée au XVIIe siècle par un ministre de Louis XIV, Colbert. Fabrique maintenant des tapis, tapisseries et tentures pour le Mobilier national.

* * *

Compréhension du texte

1. Quel est le métier d'Adrien ? Dans quelle ville travaille-t-il ?

2. Depuis combien de temps l'exerce-t-il ?

3. À quoi voyez-vous qu'il aime son métier ?

4. Qu'est-ce qu'une « ligne » de bus ?

5. Citer au moins quatre endroits célèbres devant lesquels passe cette ligne de bus. Les connaissez-vous ?

6. Pourquoi les huîtres exposées autour de la gare Saint-Lazare sont-elles très fraîches ?

7. Qu'est-ce qu'on appelle « un grand magasin » ? En connaissez-vous d'autres ?

8. Depuis quand la cathédrale Notre-Dame de Paris a-t-elle un nouvel éclairage ?

9. Avez-vous déjà entendu parler de la Comédie-Française? Qu'est-ce que c'est?

10. Comment Adrien voit-il le Luxembourg?

Sensibilisation grammaticale

1. Expression de la distance

a) Relevez dans le texte au moins cinq expressions qui marquent la distance. Faites-en la liste.

b) Écrivez des phrases de votre choix en employant les expressions suivantes.

Tout de suite après ....

Quelques mètres plus loin ....

À côté de nous ....

Au bout de la rue ....

Un peu plus loin ....

De loin ....

2. Expression de la durée

Dans le texte plusieurs expressions marquent la durée: Depuis, en cette soirée, un moment, après quelques minutes, pendant huit heures.

On peut aussi rappeler: il y a (x années).

Complétez les phrases suivantes avec l'expression qui conviendra.

Il travaille à la RATP .... vingt ans.

Il .... vingt ans qu'il travaille à la RATP.

.... janvier 2003, Notre-Dame a un nouvel éclairage.

C' .... en janvier 2003 que Notre-Dame a eu un nouvel éclairage.

Il est debout .... six heures du matin.

.... au moins dix jours que je n'ai pas pris le bus.

3. L'inversion du sujet et du verbe avec le mot « sans doute » en tête de phrase

Dans le texte on relève la phrase: **Sans doute** imagine-**t-il** le sacre de Napoléon = Il imagine sans doute le sacre de Napoléon.

Transformez les phrases suivantes en mettant sans doute en tête de la phrase.

Il téléphonera sans doute ce soir.

Elle a sans doute manqué son bus.

Elle a sans doute pris le métro.

Il s'est sans doute trompé de ligne.

Enrichissement lexical

a) Quelle différence faites-vous entre :
  – Il a la cinquantaine bien sonnée.
  – Il frise la cinquantaine.

b) Que signifie de toute beauté ?

c) Expliquez les mots suivants : un embouteillage, un étal, une vitrine, un réverbère, une navette.

Proposition de dictée

Adrien conduit des bus depuis 20 ans. Il est affecté à la ligne 27 depuis huit ans. Il passe plusieurs fois par jour devant l'Opéra, un des monuments les plus prestigieux de la capitale. L'hiver, quand la nuit tombe, tous les réverbères s'allument en même temps. L'éclairage nouveau de Notre-Dame met en valeur les détails de l'architecture et la blancheur de la pierre fraîchement restaurée. Le trajet du 27 permet à Adrien de traverser les quartiers les plus fréquentés de Paris. Il aime apercevoir les bateaux-mouches, chargés de touristes émerveillés pendant qu'ils passent sous le pont Saint-Michel. Il aime traverser le Quartier latin même s'il le traverse huit fois par jour dans un sens ou dans un autre. À chacun des 29 arrêts, il voit monter ou descendre de nombreux voyageurs. Il fait la navette huit fois par jour. Ce n'est pas un métier facile mais pour rien au monde il ne voudrait changer de ligne.

Application

Travail oral – Jeu de rôle

Un élève est conducteur de car scolaire à la campagne. Un autre est conducteur de bus à Paris. Chacun vante son métier à sa façon.

Travail écrit

Continuer le texte à votre idée (quinze lignes environ).

« J'aime visiter une ville en prenant le bus parce que… »

Texte 16

Mme Brizoit, cordon-bleu à Lyon

Grammaire

Différentes manières d'exprimer le superlatif
Le plus-que-parfait

Vocabulaire

La gastronomie
Les traditions de la région lyonnaise

* * *

Lyon est une des villes de France où l'on mange le mieux. On l'appelle quelquefois « la capitale des gastronomes » parce qu'il y a toujours eu à Lyon une culture de la table, une tradition gastronomique.

Vers les années 1930 il y avait entre autres un restaurant très célèbre tenu par la Mère Brizoit, une grande dame de la cuisine lyonnaise. On venait de loin pour manger chez elle. Elle détenait la spécialité des quenelles[1], des volailles truffées[2] et des fonds d'artichauts au foie gras. Maintenant la mère Brizoit est morte depuis longtemps mais une tradition existe dans sa famille. Sa fille a pris la suite, puis sa petite-fille. Cette dernière tient actuellement à Lyon un restaurant tout aussi célèbre que celui de sa grand-mère. C'est elle qui est « le cordon bleu ». C'est un grand compliment. Cela veut dire tout simplement qu'elle est une cuisinière très habile, une cuisinière de haut niveau. On l'appelle aussi « la maréchale des fourneaux » ce qui veut dire à peu près la même chose. Toute petite on lui a appris à choisir les viandes de meilleure qualité et les légumes les plus fins. On a dit d'elle qu'elle avait été élevée à la haute école des produits. Elle a

---

1. Préparation de forme allongée, composée d'une farce de poisson (brochet surtout) ou de viande blanche liée avec de l'œuf, de la farine ou de la mie de pain. Une des spécialités de Lyon.

2. La truffe est un champignon noir très parfumé et rare qu'on utilise comme saveur fine supplémentaire dans des plats recherchés.

grandi dans la religion de la gastronomie de prestige qu'elle a su adapter à l'époque actuelle, si bien que de sa cuisine peuvent sortir des chefs-d'œuvre comme le civet de biche au coing ou la compote de poivrons et oignons doux.

À côté des restaurants aussi fameux, il existe à Lyon une bonne quantité de restaurants plus petits. La cuisine y est aussi délicieuse mais la tradition est un peu différente : on les appelle « les bouchons » dont le nom vient du « bouchon » de paille qui annonçait un cabaret. Cette appellation est unique pour cette ville. À Paris par exemple il n'y a pas de « bouchons ». On dit plutôt des « petits restaurants », ce qui implique évidemment aussi une bonne qualité gastronomique. Dans un bouchon, la cuisinière cordon-bleu apporte en général elle-même le plat sur la table recouverte souvent d'une nappe à carreaux rouges et blancs. Les menus sont différents. On mangera plus facilement un saucisson truffé, une saucisse aux lentilles avec un bon vin bien rouge du Beaujolais voisin ou un gâteau de foie de volaille. La patronne d'un bouchon nous a confié : « Vous savez, ici il n'y a pas de chichis. Je n'aime pas les restaurants trop luxueux avec des verres de cristal et tout un apparat. Ce que j'aime c'est la cuisine authentique et chaleureuse, un peu à la bonne franquette[3]. Elle n'a pas besoin de décors riches. Ce qui compte c'est la saveur des choses. Quand je cuisine, je le fais avec amour parce que je veux faire passer un bon moment à ceux qui viennent manger chez moi. Je veux leur donner du bonheur pendant une heure et demie. »

---

3. À la bonne franquette : une expression qui vient du vieux français mais encore bien employée dans le langage courant. Elle signifie « sans cérémonie ». Dans le texte elle est annoncée par la phrase : ici il n'y a pas de chichis, ce qui veut dire la même chose = pas de cérémonies.

* * *

Compréhension du texte

1. Pourquoi la ville de Lyon est-elle appelée « la capitale des gastronomes » ?

2. Depuis quelle année vient-on à Lyon pour bien manger ? Pourquoi ?

3. Le restaurant de « la Mère Brizoit » existe-t-il encore ?

4. Qu'est-ce qu'un cordon-bleu ?

5. Sur quoi a porté l'éducation des descendantes de la Mère Brizoit ?

6. Qu'est-ce qu'on appelle un « bouchon » à Lyon ?

7. En quoi les « bouchons » sont-ils différents des grands restaurants ?

8. Citer trois plats typiques de ces restaurants.

9. Qu'est-ce que vous comprenez quand la patronne d'un restaurant dit : « J'aime la cuisine authentique et chaleureuse » ?

10. Que veut-elle dire par la phrase : « Quand je cuisine je le fais avec amour » ?

Sensibilisation grammaticale

1. Les superlatifs

a) Relevez dans ce texte des expressions différentes qui veulent donner un sens plus fort à un adjectif. On les appelle des expressions superlatives. Sachez cependant que le superlatif de bon n'est pas le plus bon mais le meilleur. Mais il y a aussi dans ce texte des expressions qui marquent une qualité superlative exprimée différemment et qui ne sont pas toujours des adjectifs. Faites-en une liste.

b) Essayez de les réemployer dans des phrases de votre choix.

2. Le plus-que-parfait

a) Relevez un plus-que-parfait dans le texte.

b) À quel temps est le verbe qui est placé avant lui?

c) Complétez les phrases suivantes en mettant le verbe à l'infinitif au plus-que-parfait:

Un journaliste a dit qu'il (connaître) autrefois le fameux restaurant de la Mère Brizoit à Lyon.

La patronne du restaurant a raconté qu'elle (faire cuire) elle-même un saucisson truffé selon la recette de sa mère.

Mes amis m'ont écrit que, de passage à Lyon, ils (manger) dans un bouchon.

Ils ont ajouté qu'ils (apprécier) particulièrement le gratin de quenelles.

d) Écrivez au plus-que-parfait le verbe manger et le verbe connaître.

Enrichissement lexical

a) Quelle différence faites-vous entre un grand restaurant ou un petit restaurant? Est-ce que les adjectifs grand et petit ont leur sens ordinaire?

b) Dans le texte il est question d'une grande dame de la gastronomie. Comment comprenez-vous une grande dame de la mode? ou une grande dame de la musique?

c) Relevez les mots qui relèvent du vocabulaire de la haute gastronomie. En connaissez-vous d'autres?

d) Quelle phrase du texte vient confirmer que la patronne fait une cuisine chaleureuse?

e) Cherchez dans votre dictionnaire la signification des mots suivants: une truffe, un saucisson truffé, un artichaut, un civet, un coing, un poivron, un oignon, des lentilles, un foie de volaille.

f) Quel est le contraire d'un restaurant avec tout un apparat ?

g) Comment appelle-t-on en français une personne qui fait de la cuisine de haut niveau ?

Proposition de dictée

Nous sommes allés dîner dans un restaurant de haute tradition gastronomique à Lyon. Sa patronne est un cordon-bleu comme l'étaient sa mère et sa grand-mère. Nous avons fait un repas délicieux digne de la réputation de la région. Nous avons goûté entre autres, un saucisson truffé et bu un vin du Beaujolais, une région toute proche de Lyon. La cuisine lyonnaise est réputée dans toute la France où l'on considère Lyon comme la capitale de la gastronomie ou un haut lieu de la gastronomie. La cuisine authentique et chaleureuse y est appréciée tout autant que des repas plus fins avec un service raffiné, des verres d'apparat et des plats de spécialités que l'on peut considérer comme des chefs-d'œuvre.

Application

Travail oral

Proposition d'exposés

Depuis que vous connaissez la France vous avez appris à connaître certaines spécialités culinaires. Vous en faites un petit exposé devant vos camarades.

Débat

La cuisine est-elle significative du caractère de quelqu'un ?

Travail écrit

Vous êtes journaliste et vous écrivez un court article sur la cuisine lyonnaise.

Vous préparez une affiche publicitaire pour un « bouchon lyonnais ».

Texte 17

Mireille et Vincent, horticulteurs à Nice

Objectifs grammaticaux

Renforcement de l'affirmation
La place des adjectifs

Enrichissement lexical

Les différentes cultures
Les problèmes de l'horticulture
Les traditions de la région méditerranéenne

* * *

Nice est une ville située à l'extrême sud-est de la France au bord de la Méditerranée. C'est une ville un peu unique en France car elle bénéficie d'un climat chaud et ensoleillé presque toute l'année. Longtemps italienne elle garde encore les marques d'une architecture recherchée et colorée dans sa vieille ville aux rues étroites et dans ses places rouges bordées d'arcades. Des collines douces l'entourent, plantées de palmiers et de végétation méditerranéenne. Dès la mi-janvier, tous les mimosas sont en fleurs transformant les paysages en tableaux jaune vif, extrêmement joyeux.

La tiédeur du climat permet toute l'année une activité horticole intense. Sur les collines avoisinantes, des serres[1] immenses s'étagent pour que la production de fleurs soit constante. En effet, chaque jour des avions et des camions réfrigérés partent de Nice pour livrer dans toute la France et même à l'étranger des fleurs fraîches, des mimosas odorants et surtout des œillets qui depuis des siècles sont une spécialité niçoise. « Il n'est pas facile à notre époque d'être horticulteur, nous expliquent Mireille et Vincent, un jeune couple qui vient de prendre en charge une importante maison d'horticulture.

---

1. Une serre : une construction légère pour mettre les plantes à l'abri.

Il y a maintenant une grosse concurrence avec les Hollandais qui eux aussi expédient dans toute l'Europe des fleurs souvent encore inconnues et moins fragiles à un prix plus bas que le nôtre. Cependant nous respectons une tradition niçoise et une qualité. » La culture des fleurs est en effet une grande tradition dans leurs familles; les grands-parents et les parents de Mireille et Vincent étaient déjà horticulteurs de père en fils depuis le XVIIIe siècle. Ils tenaient au centre de la ville un grand magasin, un des premiers fleuristes de la région, et surtout ils se rendaient chaque jour au célèbre marché aux fleurs du Cours Saleya qui n'a jamais cessé d'inspirer les peintres et les poètes, séduits par les couleurs et les senteurs de ce lieu plein de charme. « Ah oui, ma grand-mère avec la longue robe noire des Méditerranéennes et un chignon droit bien plat pour pouvoir porter les paniers au-dessus de la tête, vendait tous les jours ses grosses bottes d'œillets sur le marché pendant que mon grand-père allait les livrer dans les restaurants et les hôtels de toute la région », nous explique Mireille. « C'était le bon temps pour les fleuristes ! »

Nice est une ville qui adore les fêtes. La période du carnaval dure trois semaines mais à cette époque se déroule traditionnellement la Bataille de fleurs. Pour les horticulteurs c'est un temps de travail incessant. Il y a toujours au moins une quarantaine de chars à décorer avec des fleurs très serrées qui doivent être d'une fraîcheur absolue et dont les couleurs doivent s'harmoniser avec art. Dans ces chars fleuris, des jeunes femmes en robe longue lancent en souriant des fleurs sur la foule qui leur en renvoie au son de la musique. Sans aucun doute, c'est une des fêtes les plus élégantes de Nice.

« Bien sûr, nous ne produisons pas que la fleur coupée, nous explique Mireille, nous cultivons aussi beaucoup de plantes en pot, car Nice a toujours eu une tradition de ville extrêmement fleurie; presque chaque jour les jardiniers de la ville viennent nous en prendre pour que les nombreux jardins soient toujours fleuris toute l'année. » Puis avec un grand sourire chaleureux, elle nous raccompagne jusqu'à la porte du bureau où Vincent gère les expéditions: « Certes, notre métier est très contraignant, mais c'est un métier magnifique, vous savez. Nous avons la conviction qu'avec nos fleurs nous apportons la joie, la beauté, l'amitié et toujours du bonheur, aussi bien pour ceux qui offrent que pour ceux qui reçoivent. Alors, ça vaut le coup n'est-ce pas ? »

* * *

Compréhension du texte

1. Quel est le métier exact de Mireille et Vincent ?
2. Quel était le métier de leurs parents ?
3. Citez une activité de la grand-mère de Mireille.
4. Citez une activité du grand-père de Mireille.
5. Citez au moins trois activités essentielles du métier du jeune couple.
6. Pourquoi les fleurs poussent-elles si bien dans la région de Nice ?
7. Qu'est-ce que le marché aux fleurs ?

8. Qu'est-ce que la Bataille de Fleurs ?

9. Quelle est la grosse difficulté actuelle du métier d'horticulteur ?

10. Pourquoi ce jeune couple trouve-t-il que son métier est magnifique ?

Sensibilisation grammaticale

1. Renforcement de l'affirmation

Ces renforcements de l'affirmation se trouvent dans le texte. Repérez-les et soulignez-les.

Bien sûr, certes, sans aucun doute, absolument

Avoir la conviction

… vous savez… etc.

À l'aide des expressions proposées (ou d'autres que vous connaissez déjà) renforcez les affirmations suivantes.

Il fera beau demain.

Une fois de plus Mireille soignera ses fleurs.

Il est sûr de ce qu'il dit.

Tu as raison mais je me permets une petite objection.

Les fleurs de Nice sont très belles.

La fleuriste a apporté des fleurs coupées ce matin.

C'est un métier dur mais passionnant car il apporte le bonheur et l'amour.

2. La place des adjectifs

a) Relevez dans le texte les adjectifs qualificatifs. Essayez de tirer une constante concernant leur place par rapport aux noms. Ceux qui se situent avant, ceux qui se situent après.

b) Répondez aux questions suivantes.

Est-ce qu'on peut dire : une rouge robe ? Pourquoi ?

Est-ce qu'on peut dire : des réfrigérés camions ? Pourquoi ? (penser au nombre de syllabes).

Pourquoi dit-on : une longue robe noire et des robes longues ?

Faites trois phrases avec deux adjectifs encadrant le nom.

Faites trois phrases avec des adjectifs indiquant une forme.

Enrichissement lexical

a) Donnez quelques noms de fleurs que vous connaissez.

b) Qu'est-ce que l'horticulture? D'autres noms désignent d'autres cultures. Qu'est-ce que la viticulture? l'agriculture? la pisciculture?

c) Expliquez: des arcades? des serres? la concurrence? le carnaval? un métier contraignant?

d) Expliquez l'expression populaire mais très courante en français C'était le bon temps.

e) Expliquez l'expression Cela vaut le coup. Donnez l'exemple de quelque chose qui vaut le coup.

Proposition de dictée

Mireille et Vincent gèrent une grosse exploitation d'horticulture dans la région de Nice. Ils travaillent toute l'année dans des serres où ils cultivent des fleurs expédiées chaque jour par camions réfrigérés dans l'Europe entière. L'horticulture est une longue tradition dans leurs familles. Déjà leurs pères et leurs grands-pères faisaient ce même métier. Mireille et Vincent estiment qu'ils font un métier magnifique car les fleurs sont toujours un signe d'amour, d'amitié, de joies ou de peines partagées. Elles apportent toujours une note de beauté, de décoration ou tout simplement de bonheur dans les lieux qu'elles décorent. Ils sont cependant bien conscients que la concurrence étrangère est maintenant si forte que ce métier ne pourra plus faire face très longtemps encore à un marché où ils ne trouvent plus leur place. Et pourtant ils estiment que ce métier vaut encore le coup.

Application

Travail oral

Débat (préparation 10 minutes)

À notre époque certains métiers se perdent pour différentes raisons. Pourtant il se trouve toujours des jeunes gens courageux pour les reprendre afin de continuer une tradition. Pensez-vous que cela vaille le coup ou au contraire faut-il baisser les bras?

Travail écrit

Vous envoyez des fleurs à des amis en diverses circonstances. Vous rédigez une petite lettre d'accompagnement à accrocher sur le bouquet: pour leur mariage, pour la naissance d'un de leurs enfants, pour un anniversaire.

Texte 18

Bruno, moniteur de ski dans les Alpes

Objectifs grammaticaux

L'impératif
Approche du conditionnel

Enrichissement lexical

Le champ lexical du ski et du sport de la neige
Certaines formes d'études

* * *

Bruno est né à Grenoble, une ville située au milieu de trois chaînes de montagnes dans les Alpes. Dès qu'il a su marcher, ses parents l'ont mis « sur des planches[1] ». Ensuite, comme tous les écoliers de Grenoble, un car l'attendait chaque semaine devant la porte de l'école avec tous ses petits camarades pour le conduire sur les pistes à une demi-heure à peine du centre-ville. Le ski est devenu très vite pour lui non seulement son sport préféré mais presque une seconde nature. Très jeune il a donc souhaité faire du ski sa profession. Son premier rêve a été de faire du ski de compétition, tant il se passionnait pour les descentes fabuleuses qu'il ne manquait jamais à la télé. En réalité, il a compris que les championnats nationaux et encore plus internationaux s'adressaient à une élite qui ne devenait élite qu'au prix de tellement d'efforts et de sacrifices que c'était impensable pour lui. Ses parents lui ont demandé alors de passer son bac avant de se lancer dans une carrière sportive. Il l'a réussi sans peine. Dans une ville universitaire telle que Grenoble, il aurait pu faire des études scientifiques poussées, comme celles de son frère, qui est entré à l'INPG (Institut national polytechnique de Grenoble). Cependant, de plus en plus décidé à devenir moniteur de ski, il a suivi tous les stages et a passé avec succès les examens nécessaires pour obtenir son diplôme.

Engagé pour une saison dans une station à 30 km de Grenoble, il a eu comme premiers élèves des enfants de 6 à 10 ans venus pour une « classe de neige » pendant dix jours.

---

1. Les planches = les skis.

Son premier objectif a été de les aider à vaincre leur peur. Il savait encourager : « Allez… vas-y… fonce… oublie ta peur… tiens-toi droit… redresse-toi… tiens tes jambes bien parallèles… respire fort… mets tout ton poids sur ta jambe droite… » Après il a eu des adultes : « Respirez bien fort… pensez à votre équilibre… apprenez à ralentir… » Le métier lui plaît bien mais c'est un métier difficile : il faut être dehors par tous les temps pendant au moins huit heures par jour, quelquefois par des températures de – 10° avec une bise[2] glaciale. Les jours de fête et les périodes de vacances n'existent plus. Ce sont les jours où l'on a le plus de travail. Si la neige est là en décembre, c'est une bonne année, mais si elle ne vient qu'en février, il doit participer la nuit aux travaux pour enneiger les pistes artificiellement.

Et puis, il y a les chutes inévitables, les jambes cassées, les blessés qu'il faut réconforter sur place avant de les faire évacuer à l'hôpital. Les cours de secourisme qu'il a suivis pendant ses études lui servent presque tous les jours.

Bruno aime son métier. Il sait qu'il ne le fera pas toujours. Quand il en aura assez il achètera un petit restaurant dans la station et il le gérera tout en donnant des leçons particulières avec des horaires qu'il aura choisis lui-même. « Ce n'est pas que je souhaite particulièrement avoir une petite vie tranquille, mais quand même… »

---

2. Un fort vent d'hiver très froid.

* * *

Compréhension du texte

1. Donnez une caractéristique de la situation de la ville de Grenoble ?
2. À quel âge Bruno a-t-il commencé à faire du ski ?
3. Est-ce que les autres petits Grenoblois savent faire du ski ? Pour quelle raison ?
4. Pourquoi Bruno a-t-il renoncé à faire du ski de compétition ?
5. Aurait-il pu faire des études scientifiques à Grenoble ?
6. Quels ont été les premiers élèves de Bruno ?
7. Est-il un bon moniteur ? Pourquoi ?
8. Quelles sont les difficultés du métier ?
9. Donnez trois fonctions essentielles du métier de moniteur de ski.
10. Est-ce que Bruno compte faire ce métier toute sa vie ?

Sensibilisation grammaticale

1. L'impératif

Plusieurs verbes sont à l'impératif dans ce texte.

a) Relevez-les et classez-les :
   – ceux qui s'adressent à une seule personne,
   – ceux qui s'adressent à plusieurs personnes et qui, par conséquent, sont au pluriel.

Que remarquez-vous au sujet de l'impératif vas-y ?

b) Mettez à l'impératif les verbes entre parenthèses

Mes enfants, (travailler) mieux.

Les enfants, (taire) vous !

À un élève qui a peur : (Aller)-y, (foncer), (tenir)-toi droit.

À un groupe qui arrive sur la piste : (Respirer) bien fort.

Un conseil donné à un groupe : (Regarder) bien devant vous. (Ne pas avoir) peur.

c) Conjuguez à l'impératif les verbes : aller, chanter, être.

2. Approche du conditionnel passé

a) Dans le texte il est écrit : il **aurait pu** faire des études scientifiques.

Comment comprenez-vous cette phrase ?

Est-ce qu'il a fait réellement des études scientifiques ?

S'il l'avait souhaité, en avait-il la possibilité ?

b) Complétez les phrases suivantes pour exprimer la possibilité.

J'(avoir pu) suivre un stage de ski mais je ne l'ai pas fait.

Tu (avoir dû) me téléphoner mais tu ne l'as pas fait.

Elle (avoir dû) être hospitalisée après sa chute mais on l'a soignée sur place.

Nous (avoir pu) penser que Bruno travaillerait pendant toutes les vacances de Noël, mais nous n'y avons pas songé.

c) Conjuguez au conditionnel passé les verbes suivants :
   – avoir pu venir
   – avoir dû téléphoner.

Enrichissement lexical

a) Relevez tous les mots qui relèvent du vocabulaire du ski.

b) Répondez aux questions suivantes :

Qu'est-ce que des études poussées ? une élite ?

Qu'est-ce qu'on apprend dans des cours de secourisme ?

Qu'est-ce qu'une seconde nature ?

Qu'est-ce qu'une classe de neige?

c) Comment comprenez-vous la phrase finale: Ce n'est pas que je souhaite une petite vie tranquille, mais quand même?

Qu'est-ce que les Français appellent une petite vie tranquille?

Quel est le sens de ce quand même avant une phrase inachevée? Terminez la phrase à votre idée.

Proposition de dictée

Bruno est né à Grenoble. Depuis son plus jeune âge il sait se tenir debout sur les planches. Il a toujours rêvé de faire un métier dans le ski. À vingt ans il a été engagé comme moniteur dans une station à une demi-heure à peine de Grenoble. Son objectif principal a toujours été d'aider ses élèves à ne plus avoir peur et de les encourager. Il sait leur crier au bon moment: « Allez, vas-y. Fonce. N'aie pas peur. Appuie bien fort sur tes jambes. Respire à fond. » Quand il y a des blessés, il doit leur donner les premiers secours avant de les faire évacuer à l'hôpital. Bruno sait qu'il ne pourra jamais vivre en ville. Il aime la vie en station. C'est pourquoi, quand il ne pourra plus être moniteur de ski, il achètera un petit restaurant au pied des pistes et il le gérera en servant aux skieurs des spécialités montagnardes. Ce n'est pas qu'il veuille une petite vie tranquille, mais quand même…

Application

Travail oral

Débat

Les classes de neige sont maintenant habituelles en France. En général c'est une bonne expérience dont les enfants reviennent enchantés. Cependant il y a des incon-vénients. Il arrive qu'il y ait des accidents mortels dus au manque de surveillance ou aux dangers de la montagne en hiver.

a) Les partisans des classes de neige.

b) Les détracteurs.

Vous préparez le débat en dix minutes puis les deux groupes développeront leurs arguments opposés en dix minutes. Un troisième groupe tirera les conclusions.

Travail écrit

Un enfant en classe de neige écrit à ses parents pour leur raconter ce qu'il fait chaque jour (15 lignes au moins).

Texte 19

François et Catherine, mariniers sur les canaux de France

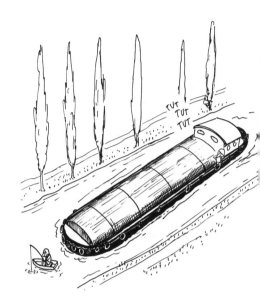

Objectifs grammaticaux

Construction de phrases plus complexes
Expression de la simultanéité

Enrichissement lexical

Le vocabulaire de la navigation

* * *

Si tout le monde sait que la France possède un réseau[1] routier et un réseau ferroviaire très importants, en revanche on sait beaucoup moins qu'il y a aussi en France tout un réseau de navigation fluviale qui sert en grande partie pour le transport commercial ; il y a également un réseau de canaux plus modeste, mais très beau et efficace, destiné à la navigation de plaisance.

Nous sommes allés rendre visite à François et Catherine. Ils sont mariniers c'est-à-dire qu'ils habitent toute l'année sur un bateau, une péniche[2] qui sert au transport des céréales sur les canaux du nord et de l'est de la France. Leur péniche a une capacité beaucoup plus importante que celle des camions semi-remorques qu'on est habitué à voir sur les autoroutes françaises. C'est pourquoi leur transport a été privilégié par l'entreprise hollandaise chargée de transformer le colza en huile.

Le problème des canaux c'est la lenteur du trafic (5 km à l'heure), lenteur accentuée par le nombre d'écluses[3] à franchir. Les écluses ne fonctionnant jamais quand il fait nuit, il faut encore ajouter des heures d'attente à la longueur ordinaire du trajet. Pendant que

---

1. Un ensemble de routes.

2. Bateau fluvial à fond plat.

3. Ouvrage sur un fleuve formé de portes pour retenir ou lâcher l'eau.

François effectue une délicate manœuvre pour croiser une autre péniche venant en sens inverse, Catherine nous fait visiter sa péniche dans laquelle elle vient de faire le ménage : « Ce n'est pas grand ici, vous voyez. Vingt mètres carrés au total : un petit salon-salle à manger avec un coin cuisine minuscule, une salle de bains avec W.C., douche, lave-linge et séchoir. Deux chambres avec portes coulissantes pour gagner de la place. Obligatoirement nos enfants sont pensionnaires à Lille. Ils ne viennent à bord que pendant les vacances et quelquefois pour les fins de semaines. Mon principal souci c'est le ravitaillement. On ne sait jamais où on sera le lendemain. Il faut donc toujours "prévoir large". C'est ce qui est le plus dur dans mes responsabilités de femme "au fil de l'eau". J'ai mis des petits rideaux rouges aux fenêtres pour faire joli, on écoute la radio toute la journée, on a le téléphone à bord. On n'est pas les plus malheureux, mais vous savez, quand on a enlevé les frais de carburant, les charges sociales et l'entretien du bateau, il ne reste pas grand-chose. On a, au bout du mois, à peu près l'équivalent du salaire d'un smicard[4]. »

Dans d'autres régions, des mariniers assurent la navigation de plaisance. C'est un monde tout à fait différent. Ils transportent dans leur bateau des vacanciers peu pressés, souvent des familles qui veulent visiter lentement et profondément une province française. Des vélos sont mis à la disposition des voyageurs à chaque escale. De châteaux en abbayes, de petites villes pleines de charme aux restaurants gastronomiques, tout est fait pour les aider à comprendre la beauté d'une région. « Nous sommes plus heureux ici que si nous étions avec des millions d'autres automobilistes à respirer les mauvaises odeurs de l'autoroute » nous dit en riant Stéphanie, une plaisancière convaincue, heureuse de flâner à bicyclette sur les routes de France après un trajet en péniche et de retrouver la poésie profonde d'un pays trop industrialisé à son goût.

Cependant si Stéphanie passe de bonnes vacances, pour les mariniers, le travail est toujours rude : « Ce n'est pas un métier de tout repos, croyez-moi ! », nous dit François aux commandes de la péniche qui glisse tout doucement dans un paysage de vignes de toute beauté.

---

4. Celui qui gagne le salaire minimum.

* * *

Compréhension du texte

1. Quels sont les réseaux de transport en France ?

2. Quelles sont les deux fonctions de la navigation fluviale ?

3. Pourquoi le transport par péniche est-il quelquefois préféré au transport routier ?

4. Quel est l'inconvénient majeur du transport fluvial ?

5. Pourquoi les enfants de Catherine et Vincent sont-ils obligatoirement pensionnaires ?

6. Quel est le principal souci de Catherine ? Pourquoi ?

7. Pourquoi les portes des chambres sont-elles coulissantes?

8. Qu'est-ce que Catherine a aménagé pour que son petit logement dans la péniche soit agréable?

9. Qu'est-ce que la navigation de plaisance?

10. Quels sont les avantages des vacances sur une péniche?

Sensibilisation grammaticale

1. Acquisition de constructions de phrases plus complexes

Dans le texte vous trouvez cette phrase: **Si tout le monde sait** que la France possède un réseau ferroviaire important, **en revanche on sait moins que**…

Sur le même modèle de construction on peut écrire par exemple: *Si tout le monde sait que la navigation fluviale est importante en France, **en revanche on sait moins que** les mariniers ont un travail très dur.*

À votre tour apprenez à construire des phrases avec cette même construction.

Si tout le monde sait que …………… en revanche on sait moins que ………

Si tout le monde sait que …………… en revanche on sait moins que ………

Si tout le monde sait que …………… en revanche on sait moins que ………

À vous.

Si …………………………

Si …………………………

2. La simultanéité

Dans le texte vous trouvez cette phrase: **Pendant que** François effectue une délicate manœuvre… Catherine nous fait visiter sa péniche…

Sur ce même modèle construisez une phrase de votre choix.

Pendant que je…, toi tu…

Pendant que ma mère…, mon père…

En même temps que je…, toi tu…

En même temps que je…, toi tu…

À vous.

Pendant que…

En même temps que…

Enrichissement lexical

a) Relevez dans le texte tous les mots qui font partie du champ lexical de la navigation.

b) Donnez trois noms qui relèvent du réseau routier et trois noms qui relèvent du réseau ferroviaire.

c) Quelle est la différence entre un canal, une rivière et un fleuve?

d) Qu'est-ce qu'une écluse? une péniche? une plaisancière? des vacanciers?

e) Que signifie: faire une manœuvre? flâner? mettre à la disposition de?

f) Employez ces mots dans des phrases de votre choix.

g) Que signifient les expressions: à bord et au fil de l'eau? Employez-les dans des phrases de votre choix.

h) Que signifie la phrase: Ce n'est pas un métier de tout repos? Citez un métier qui n'est pas un métier de tout repos.

Proposition de dictée

Les mariniers ont un rude travail. Ils vivent sur des péniches qui assurent le transport de certaines marchandises sur les fleuves et les canaux. C'est un mode de transport lent mais efficace car la capacité des péniches est plus importante que celle des camions semi-remorques. L'habitat sur les péniches est minuscule, et comme les mariniers doivent toujours se déplacer, leurs enfants doivent généralement être pensionnaires. La vie des mariniers est sans doute très dure, pourtant il semble qu'ils aiment leur vie telle qu'elle est.

La navigation de plaisance devient importante en France car, au siècle de la vitesse, certaines personnes aiment encore visiter lentement une région à bord d'une péniche. Cependant, même si la vie y semble lente et facile pour les touristes, les mariniers pensent quand même que pour eux, promener des vacanciers n'est pas de tout repos.

Application

Travail oral

Exposés

– Les avantages des vacances sur une péniche.

– Les avantages de la visite d'une région à bicyclette.

Débat

Les vacances sont souvent un sujet de discussion car chaque personne a une conception différente des vacances :
- ceux qui veulent des vacances dans un coin tranquille pour se reposer ;
- ceux qui veulent profiter de leurs vacances pour découvrir des horizons nouveaux, mais qui reviennent fatigués ;
- ceux qui pensent qu'on ne peut pas être mieux que chez soi avec ses occupations favorites.

La classe est divisée en trois groupes. Chaque groupe prépare son exposé en dix minutes et expose son point de vue sans être interrompu. Puis débat en quinze minutes.

Travail écrit

Élaboration d'un document

Vous rédigez un dépliant publicitaire pour des vacances à bord d'une péniche.

Rédaction d'une lettre

Vous avez envie de passer des vacances en visitant une région à bord d'une péniche. Vous voulez convaincre des amis de vous accompagner. Vous rédigez la lettre (150 mots).

Texte 20

Yvon, patron pêcheur et peintre à ses heures

Objectifs grammaticaux

Des expressions de temps
Expression de la conséquence

Enrichissement lexical

Les champs lexicaux de la pêche
Les champs lexicaux de la peinture

* * *

La famille d'Yvon est originaire d'une petite ville bretonne dans les Côtes-du-Nord. De père en fils, tous ses ancêtres ont vécu du commerce de la pêche. Lui-même quand il était jeune, en période de vacances, partait souvent sur le bateau de son père pour aller pêcher entre autres, la coquille Saint-Jacques, la grande spécialité de son pays mais aussi, le maquereau, la sardine et bien d'autres. Pendant toute sa jeunesse il a toujours vu son père partir pendant plusieurs semaines pour aller pêcher beaucoup plus haut dans le nord et revenir avec des cales remplies de poissons déjà congelés.

Sur le quai du port de sa ville, il y a une usine de poissons pour la mise en boîte des sardines et maquereaux et pour la conservation. Depuis quelques années on y a ajouté la fabrication des rillettes[1] de sardines et de la soupe de poisson en bocaux. Dans un petit bureau vitré qui donne sur l'atelier, toute sa vie, il a vu sa mère assurer la comptabilité et les expéditions.

Une fois sa scolarité terminée, Yvon n'a jamais envisagé autre chose que de continuer le métier. Il s'y est mis avec ardeur dès l'âge de seize ans mais maintenant il trouve chaque jour ce métier un peu plus dur.

---

1. Rillettes : charcuterie faite ordinairement avec de la viande de porc ou d'oie, cuite dans la graisse.

Le soir, à l'heure où toute la France s'installe confortablement devant la télévision, lui, il doit partir en mer, affronter le mauvais temps, la pluie, le vent violent, le froid, la grosse mer la plupart du temps, les tempêtes souvent. Les conditions de pêche sont de plus en plus difficiles car la concurrence étrangère est énorme. Les lois sur les dates et la profondeur de la pêche sont bien précises en France où elles existent depuis peu, mais sont souvent ignorées ou méprisées des concurrents étrangers. Depuis quelques années, les phénomènes de « marée noire » de plus en plus fréquents gâchent le métier de pêcheur. Les consommateurs ont peur de manger du poisson ou des coquillages mazoutés. Résultat : ils n'achètent pas, mais les frais demeurent. Il faut réduire le personnel car les charges deviennent trop lourdes. Le patron-pêcheur a déjà beaucoup de peine à assurer la vie de sa propre famille avec l'entreprise dont les possibilités diminuent.

Yvon a un rêve. Une fois à la retraite, il aimerait avoir le temps de peindre pour oublier tant de soucis. « On peut toujours faire des rêves. Cela ne coûte rien, n'est-ce pas ? On verra bien quand j'y serai pour de bon » dit-il en souriant. Il a toujours aimé manier le pinceau, mais il n'a jamais pu s'y consacrer vraiment par manque de temps. Sur les murs de sa villa il y a quand même des tableaux qu'il peint essentiellement les jours de tempête où le bateau ne peut pas sortir du tout. Des paysages bretons aux couleurs douces, des petites plages, des rochers, des sentiers dans la lande, des ajoncs[2] fleuris. Tous ces sites si familiers et si chers à son cœur lui semblent extrêmement poétiques et il exprime avec ses couleurs le charme qu'il ressent. Comment dès maintenant concilier cela avec la vie à bord dans l'odeur forte du poisson, et qui n'est que rudesse, combat et affrontements ?

---

2. Petits arbustes à fleurs jaunes et à épines, typiques de la Bretagne.

* * *

Compréhension du texte

1. Pourquoi Yvon est-il pêcheur ?
2. Citez plusieurs aspects de son métier.
3. Pourquoi ce métier est-il si dur ?
4. Quelles sont les spécialités de son pays ?
5. Que fait-on du poisson après la pêche ?
6. Qui s'en occupe ?
7. Quelles sont les incidences des marées noires sur la vie des pêcheurs ?
8. Yvon aime-t-il son métier ?
9. Quel est son rêve le plus cher ?
10. Quel charme particulier trouve-t-il aux paysages bretons ?

Sensibilisation grammaticale

1. Des expressions du temps

a) Relevez dans ce texte toutes les expressions du temps que vous y trouverez. Faites-en la liste et employez-les dans des phrases de votre choix.

b) Une fois + nom

Dans le texte vous avez la phrase : **Une fois** sa scolarité terminée…

Trouvez un équivalent.

À votre tour faites des phrases de votre choix avec la même construction.

Une fois…

Une fois…

Une fois…

2. Une expression de la conséquence dans le langage parlé

Dans le texte on relève la phrase : Les consommateurs ont peur de manger du poisson mazouté. **Résultat** : ils n'achètent plus de poisson.

À votre tour exprimez une conséquence avec le même moyen.

…………………………… Résultat ………

…………………………… Résultat ………

…………………………… Résultat ………

Enrichissement lexical

a) Que signifie l'expression : être peintre **à ses heures** ?

b) Relevez tous les mots qui relèvent du champ lexical de la pêche.

c) Relevez tous les mots qui relèvent du champ lexical de la peinture.

d) Expliquez les mots suivants : une cale de bateau, la mise en boîte, les rillettes de sardines, les expéditions, la grosse mer, la concurrence, la marée noire, le poisson mazouté, le personnel, les charges.

e) Que signifie l'expression : On peut toujours faire des rêves, cela ne coûte rien. On verra bien quand j'y serai pour de bon ?

f) Réemployez l'expression pour de bon dans un autre contexte.

Proposition de dictée

La vie des pêcheurs est une vie dure. La famille d'Yvon, originaire de Bretagne la pratique de père en fils depuis de nombreuses générations. Yvon est donc devenu pêcheur mais il n'aime pas partir en mer les soirs d'hiver quand la mer est grosse et quand il a peur de la tempête. Le poisson sent mauvais dans les cales et il fait toujours froid. La concurrence étrangère lui rend la vie de plus en plus difficile. Une fois sa retraite arrivée, il sera heureux de pouvoir peindre les paysages bretons qu'il trouve pleins de poésie et de couleurs. « On peut toujours faire des rêves. Cela ne coûte rien » dit-il en souriant. « On verra bien quand j'y serai pour de bon. »

Application

Travail oral

Débat (20 minutes de préparation)

Depuis quelques années, des marées noires successives ont recouvert les plages françaises de la côte atlantique, causant des dommages considérables aux riverains. Organisez un débat autour de ce sujet :
- un groupe exposera les dégâts causés par les marées noires ;
- un autre groupe exposera l'étendue des travaux entrepris pour y remédier ;
- le débat portera sur les moyens envisageables pour éviter que de nouvelles catastrophes semblables se reproduisent dans l'avenir. Proposez des projets.

Travail écrit

Vous êtes journaliste et vous êtes chargé de faire un reportage sur la vie des marins pêcheurs (150 mots).

PARTIE II

• Pour apprendre à présenter et à défendre son point de vue à l'oral
• Pour apprendre à rédiger un commentaire écrit

Vingt textes à discuter présentant vingt aspects différents de la société contemporaine

TEXTE 21

LE BACCALAURÉAT A FÊTÉ SES DEUX CENTS ANS !

Objectifs grammaticaux

Le plus-que-parfait
Non que + subjonctif
Les nombres cardinaux

Objectifs lexicaux

Les examens et le système scolaire

* * *

Eh oui ! Le baccalauréat français a fêté ses 200 ans en 2001. Ce diplôme, la clé de la porte d'entrée à l'université et aux études supérieures reste pour un grand nombre de jeunes gens une étape importante dans leur parcours scolaire. C'est Napoléon Bonaparte qui l'avait instauré, par un décret du 17 mars 1801. Avait-il pu imaginer à sa création l'importance que cet examen prendrait dans la vie des jeunes Français ? Aujourd'hui deux cents ans plus tard, le baccalauréat demeure au cœur du système éducatif français.

En 1985, le ministre de l'Éducation nationale de l'époque, Jean-Pierre Chevènement, lance l'idée d'amener 80 % d'une classe d'âge au « bac ». C'est une nouveauté. Cet objectif sera inscrit pour la première fois en 1989 dans l'article de la loi d'orientation. Il fera couler beaucoup d'encre. Il opposera les partisans de l'accès du plus grand nombre à ce diplôme et ceux, fidèles aux notions d'élite et de mérite, qui estiment que ce diplôme, devenu un diplôme de masse, perdrait toutes ses lettres de noblesse. Aujourd'hui, les différentes classes politiques françaises, dans un souci d'égalité devant les chances, semblent plutôt favorables à ce pourcentage des 80 %, même si on en est encore loin dans son application (61,7 % en 2000).

Le baccalauréat demeure cependant un examen difficile aux yeux des générations de jeunes lycéens qui « planchent » tous les ans au terme d'un parcours scolaire d'une quinzaine d'années. Il marque à la fois une étape finale et une étape nouvelle. Même s'il y a maintenant une quantité impressionnante de baccalauréats divers, tous les candidats savent bien que cet examen continue à élever une barrière entre « ceux qui l'ont et ceux qui ne l'ont pas ».

Jean-Marc Legrand, aujourd'hui enseignant, se souvient de son année de terminale qui s'est brillamment achevée par l'obtention du baccalauréat avec mention bien : « Je garde de cette année un souvenir mitigé, car même s'il y avait une très bonne ambiance dans la classe, il a fallu énormément travailler. Non que le travail me déplaise, au contraire, je trouve qu'apprendre est passionnant, mais nous avons vraiment dû "bachoter". Contrairement aux études que j'ai pu faire par la suite, et durant lesquelles je me suis spécialisé principalement dans une discipline, le baccalauréat nous oblige à assimiler un nombre important de connaissances très diverses. » Depuis le XVIe siècle les Français, à la suite de Montaigne, se demandent s'il vaut mieux pour réussir sa vie, avoir une tête bien faite ou une tête bien pleine. La question n'est toujours pas résolue.

Quoi qu'il en soit, le baccalauréat n'a pas fini de faire parler de lui. Il reste un point de mire pour la jeunesse française et un des premiers buts à atteindre. Nos jeunes lycéens ont encore quelques bonnes soirées de travail devant eux s'ils veulent enfin décrocher ce diplôme qui leur ouvrira des portes sur l'avenir !

SYSTÈME ÉDUCATIF FRANÇAIS – FILIÈRE D'ENSEIGNEMENT GÉNÉRAL

École maternelle **non obligatoire pour les enfants âgés de 2 à 5 ans** : petite section, moyenne section, grande section.

École primaire : CP (cours préparatoire) ; CE1 (cours élémentaire 1re année), CE2 (cours élémentaire 2e année) ; CM1 (cours moyen 1re année), CM2 (cours moyen 2e année).

Collège : 6e, 5e, 4e, 3e.

Lycée : seconde, première, terminale avec épreuve du baccalauréat.

Compréhension du texte

1. Qu'est-ce que le baccalauréat ?

2. Quelle est la date de sa création ?

3. Qui est son créateur ?

4. Quel est l'objectif inscrit dans la loi d'orientation de 1989 ?

5. Quels sont les arguments des opposants de cette loi ?

6. Combien d'années d'études un lycéen doit-il effectuer pour arriver en terminale ?

7. Quelles sont les raisons pour lesquelles Jean-Marc garde un souvenir mitigé de sa classe de terminale ?

8. Pourquoi le baccalauréat est-il important pour un Français ?

9. Existe-t-il actuellement en France une diversité de baccalauréats?

10. Le baccalauréat est-il un examen ou un concours? Expliquez la différence.

Sensibilisation grammaticale

1. Le plus-que-parfait (révision)

Trouver dans le texte deux verbes au plus-que-parfait. Expliquez pourquoi ils sont à ce temps.

2. La seule expression de la cause au subjonctif: «non que» + subjonctif

On relève dans le texte la structure grammaticale suivante: **non que** le travail me **déplaise**... + **mais**...

a) Est-ce que cette expression signifie que le travail plaît à l'auteur ou qu'il ne lui plaît pas?

b) Sur le même modèle, finissez à votre gré les phrases suivantes:

Il est venu non que .... mais ....

Ses parents ont exigé qu'il passe son baccalauréat non que .... mais ....

Il a réussi non que .... mais ....

3. Quoi qu'il en soit

Dans le texte on relève la phrase: **Quoi qu'il en soit,** le baccalauréat n'a pas fini de faire parler de lui.

Cette expression est un peu difficile. En la décomposant elle signifie: quelle que soit la chose que l'on dit sur lui **ou tout simplement** malgré toutes les choses que l'on dit sur lui... **ou de toute façon.**

Sur ce modèle formulez des phrases de votre choix.

Quoi qu'il en soit, sa décision n'a pas fini de le faire critiquer.

Quoi qu'il en soit, les vacances seront ....

Quoi qu'il en soit, la préparation de son examen ....

Quoi qu'il en soit, le baccalauréat ....

4. Les nombres cardinaux

a) Écrivez en lettres les nombres suivants :

350 ....

2 000 ....

1 010 ....

3 100 ....

b) Libellez quatre chèques : un de 300 euros, un de 426,55 euros, un de 1 000 euros et un de 2 040 euros.

Enrichissement lexical

a) Voici un certain nombre de mots ou d'expressions que vous ne connaissez peut-être pas encore.

– Cet objectif fera couler beaucoup d'encre : cet objectif fera beaucoup écrire à son sujet.

– Élite : ensemble des personnes considérées comme les meilleures. Ici, être fidèle aux notions d'élite et de mérite, c'est considérer qu'un diplôme se « mérite » par un travail approfondi. Il est la récompense d'un gros travail.

– Diplôme de masse : un diplôme que tout le monde possède et qui, par conséquent, devient très banal.

– Ce diplôme perd toutes ses lettres de noblesse : ce diplôme perd toute sa valeur.

(Les lettres de noblesse étaient sous l'Ancien régime (celui de la royauté), des lettres écrites par le roi. Elles donnaient le titre de noble à telle ou telle personne pour services rendus. Elles reconnaissaient donc un titre valorisant aux intéressés.)

– Les lycéens qui planchent chaque année. Plancher, mot d'argot scolaire qui signifie « travailler beaucoup sur un sujet »…

– Bachoter (argot scolaire) : préparer le baccalauréat sans pouvoir tout approfondir ou tout assimiler sur un sujet afin de savoir le répéter au moment de l'examen seulement.

– Un point de mire : un centre d'intérêt, quelque chose que l'on vise, que l'on regarde comme un but (le mot vient du vocabulaire militaire).

b) Écrivez ces nouveaux mots afin de les mémoriser.

c) Essayez de les réemployer dans des phrases de votre choix.

d) Qu'est-ce que : un parcours scolaire ? une étape dans la scolarité ? une loi d'orientation de l'éducation nationale ? les partisans d'une loi ? ses détracteurs ? ses opposants ?

Proposition de dictée

Le baccalauréat a fêté ses deux cents ans en 2001. Ce diplôme reste pour un grand nombre de jeunes gens une étape importante dans leur parcours scolaire. Le baccalauréat demeure un examen difficile aux yeux des générations de jeunes lycéens qui s'y présentent chaque année. Cependant, depuis les lois d'orientation de 1989, le baccalauréat a changé d'objectif. Il ne s'agit plus de le conférer à une élite mais de l'ouvrir largement à toutes les couches de la population dans un souci d'accès à la culture pour tous. Il y a maintenant une grande diversité de baccalauréats. Dans quelques années, la plupart des Français seront titulaires de ce diplôme qui ouvre les portes à beaucoup d'autres examens ou concours.

Applications

Travail oral

Travail individuel

Comment vivez-vous ou ressentez-vous les épreuves d'examens que vous avez passées ? Êtes-vous dans ces moments-là plutôt performants, ou au contraire perdez-vous vos moyens ? Expliquez votre point de vue sur l'influence de l'émotivité d'un candidat sur son comportement le jour de l'examen.

Racontez en quelques lignes une anecdote que vous avez vécue lors d'un examen, un concours ou un test.

Débat (préparation en groupes : 15 minutes)

Le baccalauréat est ouvert maintenant à peu près à toute la population française.

Le groupe A et le groupe B vont exposer chacun leur point de vue puis débattre.

Groupe A. Le baccalauréat est un examen qui se mérite. Il demande beaucoup de travail et doit rester une récompense pour ceux qui ont vraiment travaillé en sacrifiant leurs loisirs.

Groupe B. Le baccalauréat étant un examen qui ouvre d'autres portes, il est normal que tout le monde puisse profiter de ce droit qui ne doit en aucun cas gâcher une jeunesse ni être soumis aux capacités de chacun.

Quelques conseils pour la préparation du débat.
– Chaque groupe note ses arguments, puis les classe par ordre d'importance.
– Chaque argument doit pouvoir se justifier soit par un exemple, soit par un raisonnement.
– Pour combattre l'argument du groupe opposé il faut avoir des arguments pour justifier son point de vue.

Travail écrit

Expliquez par écrit quel est le système éducatif de votre pays. Quel est le diplôme qui permet l'accès à l'université ou aux études supérieures ?

Votre jeune frère est paresseux. Il n'a pas envie de se fatiguer pour passer des examens. Vous lui écrivez pour le convaincre d'avoir le courage de reprendre des études et de passer son baccalauréat. Vous justifiez vos conseils, c'est-à-dire que vous expliquez pourquoi ils vous paraissent importants.

Résumé

Relevez les idées principales du texte. Classez-les. Puis résumez-les dans un texte écrit d'une centaine de mots.

Texte 22

Vous voulez reprendre la bicyclette ?

Objectifs grammaticaux

L'impératif
Une expression de la comparaison : ainsi que

Objectifs lexicaux

Le champ lexical du vélo

* * *

Plus personne n'est à convaincre, le vélo est un sport qui se pratique à tous les âges. Pour l'enfant, le vélo est un formidable jeu qui l'aidera dans son développement. « Il nécessite un travail d'équilibre et une amélioration de l'orientation spatiale, puisque l'enfant doit anticiper les obstacles, se diriger en fonction du parcours » nous explique Pierre Caritonis, kinésithérapeute.

Pour l'adulte et pour tous, en dehors du plaisir de pédaler, ce sport est bon pour la santé, puisqu'il fait travailler les muscles ainsi que toutes les grandes fonctions vitales du corps comme la respiration, la circulation sanguine et le rythme cardiaque. Lorsque l'on vieillit, le vélo reste avec la marche et la natation – et à condition de rester raisonnable – un sport sans risque. Si vous avez des problèmes cardiaques, Pierre Caritonis vous conseille de « maintenir un rythme régulier en évitant d'enchaîner les pentes de 20 % et les descentes trop rapides ; laissez les sprints aux juniors ». Alors… avis à ceux qui veulent vivre longtemps. Et puis, vous verrez : faire du vélo donne bon moral à ceux qui le pratiquent. Cela vaut la peine de faire un petit ou peut-être un gros effort. Vous serez récompensé.

Alors, si vous aussi vous voulez reprendre la bicyclette, si l'envie de pédaler vous reprend avec l'arrivée des beaux jours, si vous éprouvez le besoin de vous promener sur des routes de campagne, en forêt, en montagne ou encore le long de la mer, voici quelques conseils.

Première étape : réglez bien la hauteur de la selle. La jambe doit être tendue lorsque le talon repose sur la pédale située en bas.

Deuxième étape : reprenez de façon progressive. Limitez-vous au début à une quinzaine de kilomètres sur terrain plat ou peu vallonné. Respirez profondément chaque fois que vous y penserez.

Essayez de rouler un jour sur deux car l'organisme récupère mieux ainsi. Augmentez progressivement les distances de cinq à dix kilomètres toutes les deux sorties. Vous verrez ! Rapidement vous serez en mesure de faire des randonnées de deux à trois heures. Roulez lentement au début, il ne faut jamais être essoufflé. N'oubliez-pas d'emporter de l'eau avec vous. Les pertes en eau sont estimées à un demi-litre par heure minimum jusqu'à deux litres par temps chaud ou humide. Pensez également à emporter des aliments énergétiques comme des barres de céréales, des fruits secs… N'oubliez-pas votre casque et surtout votre téléphone portable… cela peut-être utile… Enfin, allez à votre guise sur les routes printanières et bon vent ! N'oubliez pas que vous ne voulez pas forcément être le maillot jaune du Tour de France !

* * *

Compréhension du texte

1. Quels sont les bienfaits du vélo ?

2. Quels sont les bienfaits du vélo particulièrement pour l'enfant ?

3. Quels sont les trois sports qui peuvent être pratiqués sans risque lorsque l'on vieillit ?

4. Que faut-il faire si l'on veut vivre longtemps ?

5. Que faut-il emporter avec soi lorsque l'on part en randonnée ?

6. Donnez trois conseils à quelqu'un qui se remet au vélo.

7. Pour quelles raisons faut-il emporter avec soi un téléphone portable ?

8. Pour quelle raison faut-il boire souvent ?

9. Qu'est ce que le Tour de France ? et le maillot jaune ?

10. Et vous, faites-vous du vélo ? Si oui, où en faites-vous ?

Sensibilisation grammaticale

1. L'impératif

a) Soulignez dans le texte tous les verbes à l'impératif.

b) Récrivez chaque impératif du texte à la deuxième personne du singulier en vous rappelant que c'est le seul cas où les verbes du 1er groupe ne se terminent pas par « s » à la deuxième personne du singulier.

Ex.: ***Règle** bien la hauteur de la selle.*

………

c) Conjuguez à l'impératif les verbes suivants: avoir, être, pédaler, finir.

2. Une expression de la comparaison: «ainsi que»

Dans le texte on relève la phrase suivante: … **ainsi que** toutes les fonctions vitales du corps.

Sur le même modèle complétez à votre gré les phrases suivantes:

Le vélo est bon pour les muscles ainsi que ……………

Le vélo est utile à l'enfant ainsi que ……………

…………… ainsi que ……………

…………… ainsi que ……………

3. Le sens précis de « puisque »

Puisque est une locution conjonctive qui marque la cause. On pourrait le remplacer par l'expression parce que mais puisque apporte une nuance supplémentaire. Il affirme que la cause énoncée est connue de tous les interlocuteurs.

Dans le texte on relève la phrase: Ce sport est bon pour la santé puisqu'il fait travailler les muscles…

La phrase serait tout à fait correcte si on écrivait: Le sport est bon pour la santé **parce qu'**il fait travailler tous les muscles », mais puisque ajoute l'idée que personne ne peut dire le contraire de ce qui est affirmé. Il est en effet évident pour tout le monde que ce sport fait bien travailler tous les muscles.

Sur ce modèle, construisez quatre phrases avec puisque.

Puisque ……………, nous ne sortirons pas demain ensemble.

Il faut que tu mettes des gants pour faire du vélo puisque ……………

………………………………………………

………………………………………………

Enrichissement lexical

a) Donnez une définition des mots suivants: l'orientation spatiale, anticiper, l'organisme, des aliments énergétiques.

Citez des aliments énergétiques que vous connaissez.

b) Relevez tous les mots qui relèvent du champ lexical du vélo.

c) Que veut dire la phrase Évitez **d'enchaîner** les pentes et les descentes trop rapides. Faites une phrase où le mot enchaîner sera employé dans le même sens.

d) Que signifie l'expression Cela vaut la peine de… Faites une phrase avec cette expression employée dans un autre contexte.

Proposition de dictée

Vous verrez : la pratique de vélo donne toujours bon moral à ceux qui pratiquent ce sport. Même s'il y a bien longtemps que vous n'avez plus touché à un vélo, vous serez heureux de vous y remettre. C'est bon pour la santé, puisque ce sport fait travailler les muscles, permet de mieux respirer et d'améliorer son rythme cardiaque. Mais attention ! Personne ne vous oblige à battre des records. Vous ne voulez tout de même pas devenir « le maillot jaune » du Tour de France. Alors, si l'envie de pédaler vous reprend avec l'arrivée des beaux jours, n'hésitez pas. Montez vite sur une selle et allez vous promener ainsi que des milliers de gens qui savent apprécier le bonheur de pédaler sur une route. Mais allez-y progressivement quand même. Et n'oubliez pas ce conseil : la pratique d'un sport modéré permet de vivre longtemps.

Applications

Jeu de rôle

Mettez-vous deux par deux. Vous devez encourager un ami qui a besoin de faire du sport, à reprendre son vélo. Imaginez un dialogue pour l'encourager. Trouvez les arguments pour le convaincre.

Travail écrit

Résumé

Analyse du contenu du texte.
- Relevez les idées principales.
- Classez-les.
- Écrivez l'idée principale du texte, c'est-à-dire ce que ce texte veut prouver.
- Résumez maintenant le texte (100 mots).

Essai

Les bienfaits du sport sur l'organisme.

Exposez votre point de vue en veillant à exposer une seule idée par paragraphe. Chaque idée doit être justifiée par un exemple ou par des arguments solides.

Texte 23

Les nouveaux pères

Objectifs grammaticaux

Une expression de la restriction : même si
Une expression pour confirmer une idée et
la justifier : en effet
Des verbes d'opinion

Objectifs lexicaux

Des points de la vie familiale
La famille moderne

* * *

Qui sont donc « les nouveaux pères » ? On appelle ainsi tous les pères qui considèrent que les soins aux enfants ne sont pas réservés uniquement aux femmes, comme cela a été le cas pendant de nombreuses générations. Ils sont capables d'accomplir n'importe quelle tâche pour leurs enfants, sans aucune discrimination. Et ils sont de plus en plus nombreux, surtout chez les jeunes couples où la plupart des femmes travaillent.

Les mentalités évoluent. Aujourd'hui en France, les « nouveaux pères » ont de plus en plus envie de s'impliquer dans l'éducation de leurs enfants, même si les enfants sont encore très petits. Pendant qu'il accompagnait son enfant à la porte de l'école maternelle, nous avons interrogé Éric, un jeune père de trente ans. Visiblement heureux, il affirme : « Je crois que le rôle et l'image du père ont beaucoup plus évolué depuis trente ans, qu'en vingt siècles d'histoire, et c'est bien ainsi. Les pères d'aujourd'hui vivent une vraie relation avec leurs enfants, ce qui n'était pas toujours le cas autrefois. Pour moi, accompagner mon fils à l'école est un vrai bonheur. Pendant que nous marchons en nous tenant la main, il me raconte les petits détails de sa vie scolaire. Je me sens très proche de lui parce que je peux partager avec lui tous les événements de sa classe. Il me parle de ses copains que je connais tous. Quand il sera grand il sera libre de faire ses choix de vie mais j'espère que si nous avons pu garder un tel contact pendant des années, il saura tenir compte de mes conseils. »

On peut soutenir maintenant que le père-patriarche, tel qu'il se présentait autrefois, en faisant preuve d'autoritarisme, en imposant une certaine distance entre lui et le reste de sa famille, et en exerçant des pouvoirs sur ses enfants, n'existe plus.

Même si l'autorité est heureusement encore présente, (et elle doit l'être pour que chacun soit bien dans son rôle) les pères d'aujourd'hui s'occupent beaucoup plus de leurs enfants qu'autrefois en participant totalement à leur vie. Tous les jeunes papas maintenant savent préparer un biberon, donner un bain, changer les couches des bébés. Ils ne renâclent devant aucune tâche. Ainsi ils partagent avec leurs enfants des moments importants. Quand les enfants sont plus grands, les pères actuels jouent volontiers avec eux, ils les emmènent à bicyclette pour une randonnée commune, ils se lancent avec eux dans d'interminables parties de Monopoly ou d'autres jeux. Bref, ce qui compte, c'est qu'ils soient présents tout au long de leur enfance, dans leur éducation et dans leur vie. Si ce rôle est un facteur important dans le développement psychique de l'enfant, puis de l'adolescent, il est important aussi pour le père dans la construction du statut de sa paternité.

Ainsi, par la prise en charge de ces données, une nouvelle culture de la paternité s'est-elle développée.

Les chiffres le confirment. En effet, en octobre 2002, plus de 40 000 pères ont déjà demandé à bénéficier du congé paternité voté au printemps 2001. Durant deux semaines, à temps plein, auprès de son épouse ou compagne, le père peut se consacrer à son nouveau-né, aux premiers soins, aux premiers développements de l'enfant.

On ne peut que se réjouir des récentes mutations d'une société qui tend à permettre toujours davantage aux pères de prendre la place qui leur revient au sein de la famille. Alors, bonne chance aux « nouveaux papas ».

* * *

Compréhension du texte

1. Qui appelle-t-on les « nouveaux pères » ?

2. Sur quel point évoqué dans ce texte, les mentalités évoluent-elles ?

3. Dans quelles tâches « les nouveaux pères » s'impliquent-ils aujourd'hui ?

4. Que signifie l'appellation « un père-patriarche » ?

5. Par quels moyens les nouveaux pères construisent-ils des liens avec leurs enfants ?

6. Quelles sont les tâches que les nouveaux pères assument maintenant sans problème. Citez-en au moins trois.

7. Quels sont les bienfaits de ces moments partagés ?

8. À quoi voit-on qu'une nouvelle culture de la paternité s'est développée ces dernières années dans la société ?

9. Avec les nouvelles lois, quel est maintenant le temps d'un congé de paternité ?

10. Quel est le but de ces nouvelles dispositions ?

Sensibilisation grammaticale

1. Une expression de la restriction : « même si »

Dans le texte, on relève la phrase : **Même si** l'autorité est heureusement encore présente…

Même si apporte une petite restriction à l'affirmation qui suit.

Sur ce même modèle, complétez les phrases suivantes.

Il aime son travail, même si ……………

Il aide beaucoup sa femme, même si ……………

Il joue souvent avec les enfants, même si ……………

2. Une expression pour reprendre une affirmation et la justifier : « en effet »

Dans le texte on relève : Les chiffres le confirment. **En effet**…

À votre tour formulez des phrases sur le même modèle.

Les jeunes pères savent mieux s'occuper de leurs enfants maintenant qu'autrefois. En effet, ……………

……………… En effet, ………………

……………… En effet, ………………

3. Les verbes d'opinion

Dans le texte on trouve les verbes d'opinion suivants : affirmer, confirmer, considérer, croire, soutenir.

Employez-les à votre tour dans des phrases de votre choix.

Enrichissement lexical

a) **Expliquez la phrase** : Ainsi une nouvelle culture de la paternité s'est-elle développée.

b) Quelle différence faites-vous entre autorité et autoritarisme ?

c) Que veut dire la phrase : L'autorité est heureusement encore présente.

d) Quelle différence faites-vous entre une tache et une tâche ?

e) Que signifie le verbe renâcler ? Employez ce verbe dans une phrase de votre choix.

f) Qu'est-ce qu'un congé de paternité ? Cette disposition existe-t-elle dans votre pays ?

Proposition de dictée

Les nouveaux pères affirment volontiers qu'ils ne veulent pas renâcler devant les tâches matérielles réservées autrefois aux femmes. Ils s'occupent beaucoup de leurs enfants, ils jouent avec eux, ils les emmènent se promener à vélo. Ce qui compte pour eux, c'est de créer des liens affectifs profonds avec leurs enfants en partageant leurs soucis et leurs joies, même si ce sont des petits événements de la vie scolaire ou de la vie quotidienne. Les mentalités évoluent. La société ancienne avec un père dans une fonction de patriarche tend à disparaître.

Application

Débat

Le rôle du père dans la famille et la société

Le groupe A développera d'abord cette idée: le mari peut laisser les tâches matérielles à sa femme. Son rôle est plutôt d'éduquer les enfants quand ils sont plus grands. Une certaine distance vis-à-vis des enfants est favorable à son autorité.

Le groupe B développera ensuite cette idée: en partageant dès la naissance les soins matériels aux bébés, le père crée avec eux des liens qui seront utiles toute la vie dans le développement de la relation père-enfant.

Le débat portera sur la confrontation de ces deux idées.

Sur le même sujet, vous pouvez évidemment trouver une autre forme de débat.

Travail écrit

Écrivez un témoignage personnel.

Lorsque vous étiez plus jeune, quelle place votre père avait-il au sein de la famille? Participait-il aux tâches familiales? Jouait-il avec ses enfants? Comment ressentiez-vous son autorité?

Ou bien: comment les jeunes pères actuels dans votre culture, se comportent-ils vis-à-vis de leurs enfants?

Ou bien: quel père souhaiterez-vous être?

Texte 24
La télévision

Objectifs grammaticaux

Les mots marqueurs des étapes de l'argumentation
L'introduction d'interrogations dans un texte

Objectifs lexicaux

Le champ lexical de la télévision

* * *

Grande séductrice des temps modernes, la télévision tient une place très importante dans notre quotidien et s'impose plus que jamais au cœur de nos habitations. Une enquête récente révèle que les enfants de 4 à 14 ans passent en moyenne 2 h 18 par jour devant la « télé », temps moins important que celui des adultes qui, eux, la regardent en moyenne 3 h 32 au quotidien. Cependant, cette sirène de notre société médiatique est loin de faire l'unanimité et peut même parfois diviser les générations. Deux sons de cloches résonnent régulièrement dans les conversations.

Tout d'abord, il n'est pas difficile de comprendre pourquoi nous sommes tant attirés par le petit écran. Après une journée de travail fatigante, les gens n'aspirent qu'à une seule chose, après s'être acquittés des tâches matérielles et familiales : la détente. Or la télévision offre à tous ce loisir dans des conditions extrêmement faciles. Elle divertit, nous offre du cinéma à domicile, des émissions culturelles, sportives etc. La télévision nous permet d'oublier pour un temps nos soucis, et peut même nous faire rêver à juste titre.

Ensuite, elle transmet l'information et incite à la réflexion. Elle propose des programmes variés notamment sur le câble et ses émissions à thèmes. Ainsi chacun d'entre nous peut-il choisir sa chaîne selon ses goûts. Elle permet d'explorer le monde entier et de se tenir au courant de l'actualité. Pour tous, mais surtout pour les personnes seules, âgées ou malades, cette ouverture sur le monde reste une ouverture sur la vie presque vitale.

Cependant, ne doit-on pas rester très prudent par rapport à cette proximité qui nous est accessible avec si peu d'efforts ? Avons-nous le droit d'en nier tous les dangers ou tous les excès ? Beaucoup de personnes conviennent que la plupart des émissions qui sont proposées par les chaînes généralistes ne sont pas de qualité équivalente. Certains d'entre nous qualifieront un certain nombre de ces émissions de superficielles ou d'abêtissantes. Ces mêmes personnes regrettent de ne voir les émissions culturelles diffusées qu'à des heures très tardives.

Nous pouvons observer, depuis quelques années déjà, l'arrivée de nouveaux programmes, notamment ceux de la télé-réalité. Des émissions comme *Star Academy* font fureur chez les adolescents. Même si ces séquences télévisées restent effectivement séduisantes par le rêve et les espérances qu'elles véhiculent, ne peut-on aspirer pour eux à une programmation plus éducative, plus adaptée à leurs besoins de découverte et d'apprentissage ?

Enfin, le temps passé par chacun de nous devant son petit écran suscite également quelques réactions. N'est-il pas trop facile, par exemple, lorsque l'on est parents, d'autoriser ses enfants à regarder régulièrement la télévision pour avoir la paix pendant ce temps-là ? N'est-ce pas parfois se soustraire à ses responsabilités ? Il n'est pas défendu de se poser la question… dont la réponse peut quelquefois être culpabilisante.

Toutes ces interrogations posent de nombreuses questions et il ne nous appartient pas d'y répondre. La télévision, serait alors selon l'usage que l'on en fait, ou un outil formidable d'évasion, de distraction, d'apprentissage ou au contraire l'une des causes majeures d'appauvrissement de notre pensée et de notre perception du monde. Le débat reste ouvert…

* * *

Compréhension du texte

1. Pourquoi la télévision est-elle nommée la « grande séductrice des temps modernes » ?

2. Combien de temps les enfants français restent-ils chaque jour en moyenne devant leur télévision ?

3. Et les adultes ?

4. Pourquoi les gens sont-ils tant attirés par le petit écran ?

5. Quelle diversité propose la télévision ?

6. Pour quelle catégorie de spectateurs, la télévision est-elle particulièrement importante ?

7. Pourquoi doit-on rester prudent par rapport à la télévision ?

8. Que reprochent à la télévision les personnes qui la critiquent le plus ?

9. Que peut-on reprocher, par exemple, aux émissions dites de télé-réalité dans le genre de *Star Academy* ?

10. Quelles interrogations les parents se posent-ils face à la télévision ? Est-ce culpabilisant pour eux ?

Sensibilisation grammaticale

1. Les marqueurs de l'argumentation

a) Relevez au début de quatre paragraphes un mot important qui marque les différentes étapes de l'argumentation.

b) À l'aide de ces quatre mots, à votre tour développez une argumentation en quatre étapes en répondant à la question : Pourquoi est-ce que j'aime la télévision ?

D'abord ....

Ensuite ....

Cependant ....

Enfin ....

2. L'introduction d'interrogations dans un discours affirmatif

Relevez dans le texte l'introduction de phrases interrogatives qui ont pour but d'empêcher la monotonie du discours.

À votre tour, écrivez un paragraphe de cinq lignes en utilisant ce procédé.

Enrichissement lexical

a) Établissez le champ lexical de la télévision.

b) Que signifie : cette sirène de notre société médiatique ? Qu'est-ce qu'une sirène ?

c) Qu'est-ce qu'une émission abêtissante ?

d) Que signifie le verbe aspirer à ? À quoi aspirent les téléspectateurs ?

e) Que signifie la phrase : Certains films véhiculent des rêves et des espérances ? Qu'est-ce qu'un véhicule ? À quoi sert-il ? Dans la phrase ci-dessus remplacez ce verbe par un autre de même sens.

Proposition de dictée

De nombreux Français passent quotidiennement une bonne partie de leur temps de loisirs devant leur écran de télévision. C'est sans doute une solution de facilité tentante mais en réalité l'arrivée des nouvelles émissions de télé-réalité semblent souvent abêtissantes. Les parents fatigués proposent facilement à leurs enfants de regarder la télévision, espérant être tranquilles pendant ce temps-là. En réalité n'est-ce pas un peu culpabilisant ? Selon l'usage que l'on en fait, cette grande séductrice des temps modernes peut être un merveilleux outil d'enrichissement de connaissances ou au contraire du temps perdu.

Application

Travail oral

Exposés

Plusieurs personnes peuvent préparer un exposé sur le sujet : Pourquoi j'aime la télévision ?

Débat

Organisez un débat dans votre classe : Peut-on se passer de la télévision ?

Divisez la classe en deux groupes.

Groupe A : les partisans de la télévision.

Groupe B : les détracteurs de la télévision.

Pendant vingt minutes chaque groupe séparément prépare son argumentation, puis après l'exposé du point de vue de chacun, le débat s'instaurera.

Travail écrit

Résumé

Résumez ce texte en 120 mots en veillant à utiliser les marqueurs de l'argumentation.

Rédaction d'une lettre

Vous avez assisté à une émission qui vous a beaucoup déplu. Vous voulez vous en plaindre au directeur de la chaîne. Vous lui écrivez en lui donnant en premier les références de l'émission (jour, heure, titre, etc.) puis vous lui exposez votre point de vue et les raisons pour lesquelles vous lui demandez de ne pas rediffuser des émissions dans cet esprit.

Texte 25
Devenir comédien

Objectifs grammaticaux

Une expression de l'alternative : que
+ subj. en répétition + indicatif
Futur et conditionnel

Objectifs lexicaux

Le champ lexical des études d'art dramatique, et du théâtre

* * *

Devenir comédien n'est pas une mince affaire. Le métier est fascinant, la demande est importante mais la porte est étroite. Autrement dit, il est bien difficile de devenir un comédien connu et demandé, c'est-à-dire de « percer », comme on dit.

Certains acteurs ont eu beaucoup de chance comme Sophie Marceau, encore adolescente, douée certes, mais révélée dans le film *La Boum*, à l'âge où les autres vont encore à l'école. Mais, pour elle, la jeunesse, la beauté physique et le charme ont sans doute été plus que tout des éléments déterminants.

Les autres, qui sont-ils ? Quel est leur parcours ?

Une grande majorité d'entre eux doivent passer par la voie royale pour faire une carrière de comédien, le Conservatoire national supérieur d'art dramatique de Paris (Cnsad). C'est d'abord dans cette pépinière[1] de jeunes talents que puisent en premier les directeurs de théâtre ou les metteurs en scène en recherche d'un jeune premier pour un rôle précis.

Qu'ils aient ou non un baccalauréat, qu'ils soient issus ou non du milieu du théâtre, qu'ils proviennent de cours privés ou tout simplement de cours de théâtre au lycée, ces jeunes étudiants ont tous comme point commun la passion pour le théâtre et pour les beaux textes. Mais cela ne suffit pas. Ils doivent, dans un premier temps, réussir le concours d'entrée au Conservatoire. Sur 900 candidats qui se présentent aux premières épreuves, seulement quinze filles et quinze garçons seront admis dans ce lieu prestigieux après une sélection difficile et longue qui s'échelonnera sur trois mois et comportera trois tours.

---

1. Un réservoir, une réserve, un lieu où on les trouve en abondance.

C'est alors que commencera pour eux la première immersion dans le monde du théâtre. Si autrefois les cours se focalisaient[2] sur la déclamation ou la diction, aujourd'hui, le *cursus* s'ouvre sur d'autres disciplines comme la danse, le mime, l'acrobatie, l'histoire du théâtre, le cinéma, le chant... Ainsi que pour le chanteur, la voix reste pour l'acteur son instrument de travail. Ces jeunes comédiens apprendront à poser leur voix, à contrôler leur souffle, à maîtriser leur élocution. C'est au terme de trois années d'apprentissage effectuées et encadrées par de grands noms du monde du théâtre, que ces jeunes comédiens s'aventureront dans la vie d'artistes professionnels. À la sortie du Conservatoire, ils pourront bénéficier tout de même des possibilités d'insertion favorisant des auditions et des rencontres avec des metteurs en scène.

Mais là, tout n'est pas encore gagné! Seulement 80 % d'entre eux trouveront du travail et devront s'adapter à des situations d'emplois très variés. Pour la majorité d'entre eux, ils embrasseront en premier lieu la carrière théâtrale qui permettra de faire connaître leur nom inscrit enfin sur les affiches, et ensuite après une certaine expérience, peut-être la télévision ou le cinéma. Le quotidien des jeunes acteurs non médiatisés ne sera pas forcément facile. Ils devront la plupart du temps affronter une vie « d'intermittents du spectacle », faite de tournées itinérantes, de contrats de courte durée et d'employeurs multiples.... Ils devront par leur talent, leur passion, leurs compétences et leurs relations se faire connaître et s'insérer dans le monde du spectacle.

Chaque année, un grand nombre de jeunes comédiens aspirent au vedettariat, bien peu hélas, découvrent rapidement la notoriété... sauf ceux qui ont un coup de chance ou des atouts irrésistibles!

---

2. Se centraient.

* * *

Compréhension du texte

1. Est-il facile de devenir comédien ?

2. Quelle est la formation classique des comédiens ?

3. Pourquoi est-il difficile de rentrer au Conservatoire ?

4. Combien de temps dure la formation au Conservatoire ?

5. Quelles sont les disciplines enseignées durant cette formation ?

6. Pourquoi cette formation est-elle importante pour la carrière future d'un jeune comédien

7. Que se passera-t-il en sortant du Conservatoire ?

8. Par quelles étapes les jeunes comédiens devront-ils passer avant d'accéder à une vraie carrière ?

9. Quelle différence faites-vous entre un intermittent du spectacle et un comédien professionnel?

10. Qu'est-ce qu'un « atout irrésistible »? Donner un exemple.

Sensibilisation grammaticale

1. Une expression de l'alternative : « que » + subjonctif en répétition

Dans le texte on relève la phrase : Qu'ils **aient** ou non un baccalauréat, qu'ils **soient** issus ou non du milieu du théâtre, qu'ils **proviennent** de cours privés ou tout simplement de cours de lycée…

Quel est le temps des verbes en gras?

À votre tour, construisez trois phrases en utilisant cette même structure, en variant les verbes.

Il faut trois éléments d'alternative + une affirmation à l'indicatif (éventuellement au conditionnel si ce n'est pas une certitude).

> Ex. : *Qu'il ait beaucoup d'argent, qu'il soit beau, qu'il veuille me faire faire le tour du monde, je ne l'épouserai(s) pas.*

....

....

....

2. Le futur (révision)

a) Relevez les futurs du texte.

b) À votre tour écrivez un texte au futur dans lequel vous exposerez à l'aide de verbes au futur vos projets pour un avenir professionnel (8 lignes).

Enrichissement lexical

a) Apprenez les expressions suivantes :

Ce n'est pas une mince affaire = ce n'est pas quelque chose de facile, c'est difficile.

La porte est étroite = peu de personnes peuvent y arriver car l'accès est difficile.

Conservatoire = École nationale qui forme les artistes.

Se focaliser = se concentrer en un point.

La déclamation = l'art de réciter à haute voix un texte, en articulant parfaitement, en prononçant clairement et en marquant l'intonation de la phrase.

La diction = manière de dire, de débiter un discours, un texte, des vers.

Le cursus = ensemble des études dans une matière.

Dispositif d'insertion = ensemble de moyens qui permettent et qui aident à rentrer dans le monde professionnel.

Une audition = séance d'essai pour un artiste, afin de montrer ce qu'il est capable de faire. Ici, les jeunes comédiens vont jouer, vont interpréter des textes devant des metteurs en scène susceptibles de leur signer un engagement.

Une vie d'intermittents du spectacle: un intermittent est celui qui travaille de temps en temps, par intermittence, irrégulièrement, sans avoir la sécurité de l'emploi en étant payé uniquement pour le spectacle donné c'est-à-dire au cachet.

b) Que signifie: être doué? une voie royale? un point commun? une immersion? le mime? l'élocution? le quotidien de la vie? la notoriété?

Proposition de dictée

Si le métier de comédien est fascinant, il reste cependant un des objectifs professionnels les plus difficiles à atteindre, car personne ne peut jamais être sûr de percer. Beaucoup de candidats se contentent d'une carrière d'intermittent du spectacle qui ne donne pas beaucoup de satisfactions. Le Conservatoire est une école nationale prestigieuse où de nombreuses disciplines sont enseignées. Qu'ils soient issus ou non du monde du spectacle, qu'ils soient passionnés par le théâtre, qu'ils soient ambitieux pour leur carrière, les candidats devront surtout être de gros travailleurs pour avoir un jour leur nom inscrit sur une affiche de théâtre.

Application

Travail oral

Jeu de rôle

Vous êtes professeur dans un conservatoire d'art dramatique. Vous donnez un cours de diction à un ou deux élèves.

Mettez-vous par groupe de deux ou trois.

Débat en classe (préparation 20 minutes)

Un grand nombre d'artistes, comédiens ou chanteurs sont maintenant réunis sous le nom d'intermittents du spectacle. À ce titre, ils touchent des allocations d'aide financière. Si la plupart des Français trouvent cette aide normale, un certain nombre de personnes la critiquent fortement, estimant que puisqu'ils ne percent pas ils n'ont qu'à accepter de faire un autre travail plutôt que de rester à la maison en attendant l'aide nationale.

Divisez la classe en trois groupes :

Groupe A : expose son point de vue sur l'importance à aider les jeunes artistes sans travail.

Groupe B : expose son point de vue sur les critiques qu'il porte sur cette aide.

Groupe C : réfutera certains arguments, fera préciser certaines prises de position, puis tirera les conclusions du débat.

Travail écrit

Rédaction d'une lettre

Un de vos jeunes amis veut devenir comédien. Il ne connaît rien du métier. Écrivez-lui une lettre pour lui expliquer, à votre avis, quel parcours il devra suivre pour devenir un comédien célèbre.

Essai

Les motivations d'un jeune qui veut se lancer dans la chanson.

Résumé

Relevez les idées principales du texte, classez-les, puis résumez-les dans un texte de cent mots.

TEXTE 26

DYNAMIQUES, LES GRANDS-PARENTS !

Objectifs grammaticaux

L'infinitif comme sujet d'une phrase

Objectifs lexicaux

La vie familiale

* * *

Les grands-parents, plus que jamais présents dans nos vies familiales, restent bien les piliers de notre société. Dynamiques, ils s'investissent tout d'abord auprès de leurs enfants et petits-enfants. Un coup de fil par ci, un câlin par là, une garde le soir quand les parents sont invités, ils ont un rôle déterminant au sein de leur propre famille, souvent fragilisée par les difficultés de la vie (travail, chômage, séparation, divorce, familles recomposées, deuils…) Leurs petits-enfants savent que les grands-parents ont du temps pour eux: lire une histoire, jouer aux cartes ou aller « faire les magasins » ensemble, sont des activités qui rentrent bien dans les attributions des grands-parents modernes. Lorsque leurs propres enfants se sont engagés dans leurs vies familiales respectives, ce sont souvent eux qui font le lien entre les différents membres de chaque fratrie. En effet, avoir une famille unie et proche semble souvent un de leurs objectifs essentiels.

Mais à côté d'un investissement familial important, ce qui nous frappe chez eux, c'est leur volonté de poursuivre une vie sociale active. Alors, ils s'engagent dans des associations, parce qu'ils ont du temps et un savoir-faire à proposer. Souvent aussi, acquérir une nouvelle compétence ne leur fait pas peur, si bien que certains n'hésitent pas, malgré leur âge, à suivre une formation nouvelle. Ils sont ainsi actifs dans le soutien scolaire, dans des activités de lecture, de théâtre, d'artisanat, de travaux manuels, de peinture etc. Ils s'investissent également en faveur des plus démunis en leur apportant une aide sociale, financière, culturelle, pédagogique, psychologique. Très à l'écoute des courants de pensée, ils nous étonnent par leur modernité et leur adaptation. Aider les autres quand on a cherché toute sa vie à acquérir de nouvelles compétences paraît, à un certain âge, une nécessité tout à fait évidente.

Les grands-mères actuelles font partie de cette génération de femmes qui ont été les pionnières du travail professionnel féminin. Elles ont choisi de travailler à l'extérieur de la maison et sont par conséquent peut-être plus naturellement, tournées vers des activités hors foyer.

Avec l'allongement de la durée de vie, on peut être grands-parents une quarantaine d'années, en moyenne de cinquante à quatre-vingt-dix ans. Alors, que ce soit par raison ou par goût, et tant qu'ils en ont encore la force, ils s'adonnent à des activités sportives, culturelles ou intellectuelles. On les voit, par conséquent voyager dans le monde entier, faire de la marche à pied, de la natation, de la randonnée à bicyclette, aller au concert, au théâtre ou travailler sur un ordinateur, ou sur Internet, toujours très ouverts aux nouvelles technologies. Bref, ils sont « débordés », comme ils disent ! Chantal, soixante-neuf ans, témoigne de son enthousiasme pour la vie : « J'ai mille choses à faire, tout me passionne, entre mes lectures, mes associations, mes amis, mes enfants, mes petits-enfants, je ne vois pas le temps passer. Vivre à ce rythme me plaît. J'ai toujours fonctionné ainsi ; je ne vois pas pourquoi je m'arrêterais maintenant que ma vie professionnelle est terminée et que j'ai enfin du temps libre devant moi. »

Il est vrai que les activités des grands-parents sont forcément différentes selon leurs tranches d'âges. Cependant chacune de ces périodes de la vie a sa propre dynamique et un bon rythme qui lui est propre.

* * *

Compréhension du texte

1. Pourquoi peut-on dire que les grands-parents sont « les piliers » de notre société ?

2. Quel est le rôle des grands-parents au sein de leur propre famille ? Citer trois exemples.

3. Quels sont leurs buts en dehors de leur investissement familial ?

4. Combien de temps, à notre époque, peut-on être en moyenne grands-parents ?

5. Pourquoi les grands-mères actuelles se tournent-elles plus facilement maintenant vers des tâches hors foyer ?

6. Pourquoi peut-on dire que les grands-parents modernes étonnent par leur modernité ?

7. Dans quel type d'associations trouve-t-on des personnes d'un certain âge ?

8. Quelles sont les activités sportives des grands-parents ?

9. Par quel trait de caractère résumeriez-vous la réponse de Chantal ?

10. Pensez-vous que des grands-parents de 60 ans ou d'autres de 80 ans puissent avoir le même type de rapports avec leurs petits-enfants ?

Sensibilisation grammaticale

1. L'infinitif sujet d'une phrase

Dans le texte on trouve la phrase : **Avoir** une famille unie… semble souvent un de leurs objectifs essentiels.

Le groupe verbal à l'infinitif placé au début de la phrase devient le sujet du verbe principal. (Qu'est-ce qui semble un objectif essentiel ? Avoir une famille unie.)

Dans ce texte trouvez deux autres exemples d'une construction semblable.

Sur le même modèle, finissez les phrases suivantes.

Lire une histoire à leurs petits-enfants ....

S'investir dans une association ....

....

....

2. Une construction de phrase plus complexe

Dans le texte on trouve la phrase : **Ce qui** nous frappe, **c'est** leur volonté.........

Sur le même modèle, construisez des phrases.

Ce qui m'étonne c'est ....

Ce qui leur manque, c'est ....

Ce qui ....

Ce qui ....

Ce qui ....

Enrichissement lexical

a) Répondez aux questions suivantes.

Que signifie : un coup de fil ? un câlin ? une fratrie ? un investissement ? le soutien scolaire ? être débordé ?

b) Employez ces mots dans des phrases de votre choix.

c) Relevez dans le texte tous les mots relatifs au champ lexical des activités extra-professionnelles.

d) Pouvez-vous citer le nom de trois associations françaises (ou internationales) à but social ou humanitaire ?

Proposition de dictée

Grâce à l'allongement de la vie, les grands-parents tiennent une place importante dans la famille actuelle, surtout quand la famille est fragilisée par des séparations, des divorces, des deuils ou tout simplement par le rythme très actif de la vie actuelle. Les grands-parents ont davantage de temps, de disponibilité. Ils ont souvent une expérience et un savoir-faire qu'ils sont heureux de pouvoir partager avec ceux qu'ils peuvent aider.

Ils aiment avoir du temps pour le sport, pour la vie culturelle, pour la vie conviviale et pour voyager. Ils s'inscrivent souvent dans des associations où ils sont très actifs et n'ont pas peur de recommencer une nouvelle formation si cela est nécessaire.

Application

Travail oral

Exposés

– Êtes-vous d'accord avec les idées exprimées dans le texte ? Avez-vous des restrictions à signaler ? ou des éléments à ajouter ?

– Pouvez-vous donner votre témoignage personnel sur la place de vos grands-parents dans votre vie ?

Débat (préparation cinq minutes)

La place des grands-parents dans une famille

Groupe A expose le point de vue suivant : Les grands-parents apportent une aide indispensable.

Groupe B expose le point de vue inverse : Ce n'est pas normal que les grands-parents occupent une place importante dans une famille. Le couple doit prendre ses responsabilités et s'occuper de ses enfants.

Groupe C fait la synthèse des deux points de vue et tire les conclusions.

Travail écrit

Rédaction de lettres

– Vous écrivez à votre grand-mère en lui exprimant ce qu'elle représente pour vous.

– Vous écrivez un texte pour exprimer ce qu'un adolescent peut attendre d'une grand-mère.

Essai

La place des grands-parents dans la vie du couple, dans la famille et dans la société.

Résumé

Relevez les idées principales du texte et résumez-les en une centaine de mots.

Texte 27

Le tabagisme passif

Objectifs grammaticaux

Le comparatif augmentatif:
de plus en plus
Une expression de l'alternative: que ce soit … ou …

Objectifs lexicaux

Le tabac et les problèmes de société qu'il entraîne

* * *

On en parle de plus en plus – et fort heureusement – car il est de plus en plus nécessaire d'être informé. Les dangers sont grands. Le tabagisme passif peut tuer. On ne le dit pas assez. Mais qu'est-ce donc que le tabagisme passif? C'est tout simplement l'exposition involontaire à la fumée de cigarettes des autres dans un espace clos, c'est-à-dire sans aération, que ce soit dans un appartement, un bureau, au restaurant ou dans un autre endroit fermé.

En 1991, lorsque la loi Evin, interdisant de fumer dans les lieux publics, a été votée, on ne connaissait pas encore l'ampleur du problème. On pensait que seuls les fumeurs couraient de réels dangers. Pour les autres, l'odeur de la fumée ne paraissait encore qu'un désagrément. On disait même que ceux qui s'en plaignaient avaient mauvais caractère. Aujourd'hui, des études scientifiques ont révélé que le tabagisme passif avait sur l'homme des effets néfastes. Selon un rapport de l'Académie de médecine, 2 500 décès liés au tabagisme passif et concernant des non-fumeurs sont enregistrés chaque année en France.

Avons-nous alors le droit d'ignorer ce danger auquel nous sommes tous exposés si souvent?

Les différentes études révèlent que les risques de maladies sont d'autant plus importants que l'exposition au tabac a eu lieu durant les vingt premières années de la vie. Les enfants de parents fumeurs souffrent plus fréquemment que les autres de bronchites, de pneumonies ou d'otites. L'exposition à la fumée augmente également l'intensité et la fréquence des crises d'asthme. Nos enfants seraient, par conséquent, les premières victimes du tabagisme passif.

De même, la femme enceinte doit être très vigilante. Son exposition à la fumée des autres peut provoquer sur l'enfant qu'elle porte des retards de croissance intra-utérins, ainsi que des risques de prématurité ou d'avortement.

Enfin chez l'adulte, les études démontrent que l'exposition à la fumée augmente de 25 % le risque de développer des maladies cardiaques et de 26 % celui de déclencher un cancer du poumon. Le professeur Gilbert Lagrue, responsable du centre de tabacologie de l'hôpital Albert Chenevier à Créteil (Val-de-Marne) apporte cependant une restriction: « pour courir le risque de développer une maladie mortelle, il faut certes une exposition longue et prolongée sur plusieurs années ». Ce qui était souvent le cas lorsque, par exemple, on travaillait pendant plusieurs années dans un bureau à côté d'un collègue fumeur.

Maintenant que nous connaissons mieux les risques du tabagisme, nos comportements ont-ils évolué en conséquence? Réagissons-nous devant ces fumeurs que nous croisons si souvent dans des lieux fermés? Une enquête de l'IPSOS, réalisée les 27 et 28 avril 2001, auprès d'un échantillon de 1 015 personnes, montre qu'en présence d'une personne qui fume dans un lieu interdit, seulement 28 % des Français osent lui demander d'arrêter, 32 % ne réagissent pas, 20 % préfèrent changer de place, tandis que 6 % décident de partir…

* * *

Compréhension du texte

1. Qu'est-ce que le tabagisme passif?
2. Qu'est-ce que la loi Evin?
3. En quelle année a-t-elle été votée?
4. Les dangers du tabagisme passif sont-ils connus depuis longtemps?
5. Combien de décès liés au tabagisme passif sont-ils enregistrés chaque année en France?
6. Pourquoi la femme enceinte doit-elle être particulièrement vigilante?
7. Les jeunes de moins de vingt ans courent-ils plus de risques que les personnes d'un certain âge?
8. Quelle catégorie de la population est-elle particulièrement fragilisée par le tabagisme passif?
9. Quelles sont les maladies qui peuvent guetter une personne exposée pendant des années à la fumée des autres?
10. Quelles sont les réactions du public en présence d'une personne qui fume dans un lieu interdit?

Sensibilisation grammaticale

1. Le comparatif augmentatif

Dans la première phrase, on relève deux fois le comparatif augmentatif: **De plus en plus** ...

À votre tour utilisez-le dans quatre phrases de votre choix.

....

....

....

....

2. La possibilité d'alternative. L'expression « que ce soit ... ou ... »

Dans le texte on relève la phrase: ... **que ce soit** dans un appartement, un bureau, au restaurant **ou** dans un autre endroit fermé.

Terminez les phrases suivantes à votre gré.

Il fume quand il en a envie, que ce soit ....

Il n'écoute jamais ce que les gens raisonnables lui disent, que ce soit ....

Le tabagisme passif peut être nuisible, que ce soit ....

Même s'il est au courant des dangers du tabagisme passif, que ce soit ...., il continue à fumer tout autant qu'avant.

Enrichissement lexical

a) Répondez aux questions suivantes.

Qu'est-ce que: un endroit fermé ou un espace clos? un désagrément? un effet néfaste? une bronchite? une pneumonie? une otite? une crise d'asthme? la croissance intra-utérine? la prématurité? un avortement? un échantillon de personnes?

b) Que signifie: avoir mauvais caractère?

c) Donner le contraire d'un effet néfaste.

Proposition de dictée

Le tabagisme passif constitue pour chacun de nous un réel danger, car nous y sommes tous exposés. En effet, si l'on respire la fumée des autres dans un lieu fermé pendant longtemps, que ce soit dans un appartement ou dans un bureau, cela peut avoir des effets néfastes sur notre santé. Différentes études révèlent que les risques sont importants chez les jeunes de moins de vingt ans, surtout chez ceux dont les parents sont fumeurs, parce qu'ils sont exposés pendant des années à respirer des fumées de cigarettes. Ils sont comme des victimes. Une enquête révèle que lorsque des Français se trouvent dans un espace fermé en présence d'un fumeur, bien peu osent lui demander de s'arrêter de fumer ; ils préfèrent s'en aller sans rien dire.

Application

Travail oral

Débat (temps de préparation en groupe : 15 minutes)

Pensez-vous que les comportements aient évolué au cours de ces dernières années ? Les fumeurs respectent-ils davantage aujourd'hui leur entourage et acceptent-ils volontiers de ne pas fumer dans les lieux publics ? À quels sentiments faut-il faire appel pour que cette interdiction soit respectée ? Êtes-vous d'accord avec cette interdiction ou au contraire la prenez-vous comme une atteinte à la liberté ?

Divisez le groupe en deux parties. Chacun exposera d'abord à son tour son point de vue, puis donnera la contradiction à l'autre.

Jeu de rôle

Vous êtes dans un autobus. Un monsieur d'un certain âge s'assoit à côté de vous avec une cigarette à la bouche…

Mettez-vous à deux ou trois et imaginez un dialogue.

Travail écrit

Rédaction de lettre

Votre meilleure amie est enceinte depuis peu de temps. Vous lui écrivez pour la convaincre de s'arrêter de fumer.

Élaboration d'un document

Vous êtes chargé par une association luttant contre les méfaits du tabagisme de préparer un dépliant pour mettre en garde le public contre le tabagisme passif. Vous rédigez le dépliant de la manière la plus directe possible.

Résumé

Rédigez en cent mots le résumé de ce texte après avoir soigneusement relevé toutes les idées exprimées dans le texte.

Texte 28

Et bien chantez maintenant !

Objectifs grammaticaux

La persuasion
Le conditionnel

Objectifs lexicaux

Le vocabulaire de la musique

* * *

Vous aimez la musique et le chant. Vous avez toujours rêvé de monter des œuvres du grand répertoire ou tout simplement de chanter des chansons avec des amis. Alors, n'hésitez-pas, inscrivez-vous dans une chorale et venez chanter toutes les semaines. Le chant est bon pour le moral comme pour le physique. Lancez-vous dans cette aventure, vous verrez, c'est formidable !

Depuis toujours, le chant, utilisation de la voix comme instrument mélodique, fait partie de la vie de l'homme. Le chant est sans doute la plus ancienne pratique d'activité musicale que l'on retrouve dans les rites religieux, dans les fêtes nationales ou familiales, ou par choix personnel. Chanter est un vrai plaisir et provoque physiquement un bien-être scientifiquement reconnu. Alors pourquoi s'en priver ?

On ne soulignera jamais assez les bienfaits de cette discipline. Aujourd'hui, il est même prouvé que le chant à un effet « antistress ». En chantant, on se décontracte, on respire, on s'extériorise, on oublie ses soucis. Le moral est toujours meilleur après une séance de chant, car le chant crée la joie.

Mais le chant est également convivial, il se partage avec d'autres. Pour bien chanter ensemble, il faut s'écouter mutuellement. Le chant est à la portée de tous. On apprend à chanter dès le plus jeune âge à l'école. Avec un minimum d'éducation, on peut arriver à des résultats satisfaisants. Katja, jeune étudiante allemande partage avec nous son expérience : « Lorsque je suis arrivée en France l'année dernière, j'ai vu, sur les murs de l'université plusieurs affiches invitant les étudiants à se joindre au chœur ou à l'orchestre universitaire. Je me suis inscrite au chœur. J'ai ainsi rencontré d'autres étudiants français et étrangers et nous avons travaillé toutes les semaines avec le chef de chœur. Entre choristes, nous avons bien sympathisé ; nous nous retrouvions régulièrement au café à la sortie des cours ou chez les uns et les autres en soirée. En fin d'année, nous avons donné un concert. C'était formidable. J'en garde un souvenir inoubliable ! S'il fallait le refaire, je le referais tout de suite. »

Le patrimoine français du répertoire d'art vocal est riche, passionnant à découvrir. Tout le monde ne peut pas chanter des madrigaux[1] ou les chœurs de *Carmen*, mais tout le monde peut chanter de vieilles chansons françaises comme *Sur le Pont d'Avignon*, ou *En passant par la Lorraine avec mes sabots* apprises dès la petite enfance et fredonnées[2] par tous comme une évidence et un lien entre les générations. Les vieux Noëls se chantent encore beaucoup dans les familles, autour du sapin.

Il existe en France dans toutes les villes de nombreuses chorales, de nombreux chœurs ouverts à tous les amateurs désireux de chanter. Même si on ne lit pas tout à fait la musique ou si l'on ne sait pas déchiffrer une partition, celui qui chante juste, ou qui désire construire avec d'autres un projet musical intéressant, a toutes ses chances d'être accepté dans une chorale. Et si en plus on a une belle voix alors là, les portes vous sont grandes ouvertes !

---

1. Chants profanes des XVᵉ et XVIᵉ siècles.

2. Chanter un air, juste pour soi à mi-voix ou à bouche fermée.

* * *

Compréhension du texte

1. Qu'est-ce que le chant ?

2. À quelles occasions chante-t-on ?

3. Quels sont les bienfaits du chant ? (citez-en au moins deux)

4. Que doit-on savoir faire pour rentrer dans une chorale ou dans un chœur ?

5. Pourquoi Katja s'est-elle inscrite dans une chorale universitaire ?

6. En quoi une chorale peut-elle être intéressante pour un étudiant étranger ?

7. Qu'est-ce qu'un « patrimoine » de chansons ?

8. Citez deux vieilles chansons françaises évoquées dans le texte. Les connaissez-vous ?

9. En quoi les vieilles chansons populaires peuvent-elles être un lien entre les générations ?

10. Est-ce que tout le monde peut s'inscrire dans une chorale ?

Sensibilisation grammaticale

1. La persuasion

Dans le texte, on relève la phrase : **Vous aimez** la musique et le chant. **Vous avez** toujours rêvé… **Alors** inscrivez-vous…

Verbes à l'indicatif + alors (conséquence évidente) + impératif

À votre tour, sur le même modèle, écrivez des phrases persuasives.

Tu as envie de chanter, tu sais lire tes notes, alors ....

Tu aimes la musique, tu ....

....

....

2. Conditionnel

Dans le texte on relève : **S'il fallait** le refaire, **je le referais** tout de suite.

Si + imparfait + conditionnel.

À votre tour, sur le même modèle, écrivez des phrases.

Si je devais ....

S'il fallait ....

....

....

Enrichissement lexical

Relevez les mots du champ lexical de la musique.

Que signifie : le répertoire ? un rite ? être à la portée ? les portes vous sont grandes ouvertes ?

Proposition de dictée

Si vous aimez chanter, si vous pensez que vous avez une belle voix, alors les portes d'une chorale vous sont grandes ouvertes. Vous serez heureux de participer à des répétitions avec tout un groupe de choristes qui deviendront pour vous des amis, vous serez heureux aussi de donner des concerts ou tout simplement d'apprendre par exemple les vieilles chansons françaises. Beaucoup sont encore très populaires en France car les enfants les fredonnent dès leur plus jeune âge. Elles font les liens entre les générations qui les considèrent un peu comme leur patrimoine commun.

Application

Travail oral

Jeu de rôle

Vous voulez vous inscrire dans une chorale avec un autre ami. Votre ami est un peu hésitant. Vous cherchez à le convaincre de venir chanter avec vous. Argumentez puis vous allez vous présenter au chef de chœur.

Débat

La musique classique a eu ses lettres de noblesse jusqu'à la dernière moitié du XXe siècle. De nos jours elle est souvent décriée si bien que deux façons de concevoir la musique s'affrontent actuellement.

Groupe A : expose son point de vue sur l'excellence de la musique classique, ses difficultés et ses bonheurs.

Groupe B : expose son point de vue sur l'excellence de la musique actuelle, rock, rap, etc.

Groupe C : fait la synthèse de ce qui a été exposé puis tire une conclusion simple et rapide.

Travail écrit

Rédaction d'une lettre

Vous écrivez une lettre à un ami (ou une amie) pour lui proposer de venir chanter avec vous dans la chorale universitaire de la ville où vous étudiez le FLE.

Élaboration d'un document

Vous êtes chargé de rédiger une affiche publicitaire pour recruter des choristes pour votre chorale universitaire.

Résumé

Relevez les idées principales de ce texte.

Dans un article, résumez ce texte en 100 mots.

Texte 29

Le nouveau tourisme

Objectifs grammaticaux

Les verbes impersonnels
Une manière de s'informer : de quoi s'agit-il ?
Les infinitifs sujets dans un texte écrit

Objectifs lexicaux

Le vocabulaire du tourisme et des voyages

* * *

Un dicton[1] français affirme depuis plusieurs siècles : « Les voyages forment la jeunesse. »
En effet, il n'est pas à démontrer que le voyage est une ouverture particulièrement enrichissante sur le monde extérieur. Aller à la rencontre d'autres cultures, d'autres personnes, observer d'autres manières de vivre, d'autres façons de penser se révèle toujours comme une expérience étonnante pour toute personne désireuse de s'aventurer vers des civilisations ou des modes de culture nouveaux.

Le voyage est aussi un élément très formateur humainement parlant. Entre autres, il apprend souvent à savoir se tirer d'affaire dans des situations difficiles ou inattendues. Nous avons tous l'expérience de voyages à l'autre bout du monde où il a fallu gérer des difficultés imprévues dans une langue mal maîtrisée. Mais on finit toujours par y parvenir. Il n'est pas rare en effet de rencontrer des personnes aimables, désireuses de venir en aide au pauvre étranger dans l'incapacité de s'en sortir tout seul.

Il est passionnant de découvrir des lieux prestigieux, des formes d'art nouvelles et une manière de vivre à l'opposé de la nôtre. C'est tout une approche, une écoute, une attention, une observation, une découverte. Quand nous rentrons dans notre pays il est assez habituel d'avoir sur notre quotidien un regard différent et de pouvoir ainsi élargir notre façon de penser par plus de compréhension, de tolérance et d'ouverture.

Mais de quoi s'agit-il alors quand on parle de « nouveau tourisme » ? Le tourisme aurait-il changé de destination ?

---

1. Une vérité de bon sens qui se transmet oralement de génération en génération sous la même forme.

On découvre de plus en plus que le voyage en pays lointains n'est pas la seule forme de voyages qui attire les touristes. Il est séduisant aussi de découvrir son propre pays et d'y trouver un grand intérêt. En effet, le voyage peut se porter aussi sur la connaissance de ce qui est proche de chez nous. On ne connaît pas forcément un pays parce qu'on habite dans une région donnée. Il est en effet très riche de comparer les différences dans les manières de vivre entre les gens du Sud, du Nord, de l'Est, de l'Ouest, du Centre, de la capitale, des villes, des campagnes, des bords de mers, des montagnes, etc. Et puis il est également très passionnant de mêler dans son programme de découvertes, l'histoire, la géographie, la gastronomie et également, l'économie. Pour Philippe, 43 ans, qui part chaque année en été avec toute sa famille à la découverte des régions françaises : « Connaître une région c'est concilier les visites de monuments historiques, c'est essayer de comprendre les paysages en s'interrogeant sur la nature des sols, c'est la découverte de la gastronomie, de la cuisine locale et de toutes sortes de saveurs nouvelles. C'est également se pencher sur le présent et aller à la rencontre des industries qui font vivre tel ou tel coin de France. Visiter les entreprises permet d'avoir un autre regard sur les objets que nous retrouvons chaque jour dans notre quotidien et dont nous avons pu suivre la fabrication. C'est également un excellent moyen de comprendre la grande diversité des métiers et de mesurer les difficultés des entreprises locales. »

Mais quelles sont donc les nouvelles habitudes des Français en matière de tourisme ?

Plusieurs études révèlent que les Français voyagent moins à l'étranger depuis quelques années. Lorsqu'ils décident cependant d'y aller, ils choisissent des destinations lointaines comme l'Afrique, l'Asie ou l'Amérique. Les pays d'Amérique du Sud attirent toujours beaucoup de Français, c'est vrai.

Leur propre pays restant pour beaucoup d'entre eux la destination préférée, il s'agit de le découvrir sous un autre regard. En effet 80 % des voyages des Français ont lieu en France, ce qui amènerait à penser que les Français aiment leur pays et le trouvent beau. L'Hexagone[2], par sa grande diversité, offre des perspectives toujours nouvelles. Les Français sont désireux de devenir des touristes dans des régions qu'ils ne connaissent pas encore et qui toutes proposent des merveilles artistiques, depuis les cathédrales gothiques, les châteaux de la Loire, les domaines du Bordelais, le Mont-Saint-Michel jusqu'aux petites églises romanes dans les campagnes et les vieilles villes aux maisons lourdes de passé.

---

2. Manière courante de désigner la France en raison de sa forme géométrique (six côtés).

* * *

Compréhension du texte

1. Quel est le dicton cité au début du texte ?

2. En quoi le voyage est-il une expérience enrichissante ?

3. En quoi le voyage est-il formateur lorsqu'on rencontre des situations difficiles ?

4. Quelles sont les dispositions du cœur et de l'esprit nécessaires pour bien découvrir un pays ?

5. En quoi le voyage dans son propre pays peut-il être enrichissant ?

6. La France offre-t-elle une diversité de régions ? Citer les exemples du texte.

7. Comment peut-on, au cours d'un voyage, se pencher sur le présent d'une région ?

8. Qu'appelle-t-on « le nouveau tourisme » ?

9. Quels sont les pays du monde qui attirent le plus les Français ?

10. Pourquoi beaucoup de Français voyagent-ils en France ?

Sensibilisation grammaticale

1. Les verbes impersonnels

Les verbes français se conjuguent à l'aide d'un pronom personnel sujet. Cependant un certain nombre se conjuguent avec le pronom personnel il qui ne désigne plus la 3e personne d'une façon précise mais qui est neutre.

Ex. : *Il fait beau, il pleut, il est possible, etc.*

Relevez les verbes impersonnels du texte et introduisez-les dans des phrases de votre choix.

2. Une question pour s'informer : « De quoi s'agit-il ? »

Dans le texte on relève la phrase : Mais de quoi s'agit-il quand on parle de nouveau tourisme ?

Lorsqu'on veut demander des précisions sur une information on emploie habituellement la phrase : De quoi s'agit-il ?

Sur ce modèle reformulez d'autres phrases et répondez à la question.

(Nouvelle cuisine) De quoi s'agit-il lorsqu'on ....

(Voyages organisés) ....

(Voyages culturels) ....

(Croisières de détente) ....

3. Les infinitifs sujets dans un texte écrit (révision)

Sur le modèle du paragraphe qui commence par « aller à la rencontre... » reformulez à votre manière l'ensemble du paragraphe à l'aide des infinitifs comme sujets de la phrase : S'inscrire dans un voyage organisé, c'est ....

Enrichissement lexical

Relevez dans le texte tous les mots ou expressions qui valorisent le voyage.

Donnez le sens des mots suivants : un dicton, une ouverture enrichissante, se débrouiller, gérer des difficultés, des maisons lourdes de passé.

Que signifient les phrases suivantes ?
- Les voyages forment la jeunesse.
- Élargir notre façon de penser.
- Avoir un nouveau regard sur.

Proposition de dictée

De quoi s'agit-il quand on parle de « nouveau tourisme » ? Il s'agit essentiellement d'un autre regard sur le voyage culturel. Pendant longtemps les Français ont pensé que seuls les voyages à l'étranger permettaient des découvertes enrichissantes et extraordinaires. Or, depuis quelques années pour des raisons sans doute économiques, ils se rendent beaucoup moins à l'étranger. Ils découvrent peu à peu les régions de leur propre pays. L'Hexagone offre une grande diversité de paysages, de modes de vies, de gastronomie et en réalité partir dans une région éloignée de la sienne devient, si l'on s'en donne la peine, une occasion passionnante de découvertes. Cela permet de porter un autre regard sur un pays qui est le sien et que l'on ne connaît jamais complètement.

Application

Travail oral

Exposés

- J'ai découvert telle région de France .... (10 minutes)

- J'ai découvert tel pays étranger .... (10 minutes)

- Voir vivre les Français m'a fait découvrir que .... (10 minutes)

Débat

Le nouveau tourisme (préparation en groupes : 15 minutes)

Groupe A expose son point de vue : Il n'y a que les voyages à l'étranger qui vous font découvrir des civilisations nouvelles.

Groupe B expose son point de vue : Le voyage dans son propre pays est plus confortable, moins coûteux, et vous fait découvrir beaucoup de choses que l'on n'avait jamais imaginées.

Groupe C relève les arguments essentiels de chacun et tire les conclusions.

Travail écrit

Élaboration de document

Rédigez un dépliant publicitaire pour une agence de voyage qui veut faire la promotion du nouveau tourisme en France à l'usage des Français.

Résumé du texte

Relevez les idées principales de ce texte et résumez-les en une centaine de mots.

Texte 30

Le jeu à l'hôpital

Objectifs grammaticaux

Expression du but : pour + infinitif
Expression de la cause bénéfique : grâce à

Objectifs lexicaux

Le vocabulaire de la médecine, de l'hôpital et du jeu

* * *

Le jeu a de nombreuses vertus. Il est source d'équilibre, de joie et de détente. On le dit même indispensable à l'enfant pour son développement. C'est par le jeu, dès les premiers mois de la vie, que le nourrisson accapare le monde qui l'entoure. Avec le jeu, on arrive à capter l'intérêt et l'attention de l'enfant. Il lui apprend la concentration tout en se délassant. Parce que le jeu fait partie de l'environnement naturel, les activités ludiques ont été introduites dans les hôpitaux depuis quelques années comme facteur bénéfique dans les processus de guérison. Dans de nombreux services hospitaliers de pédiatrie en France, il y a maintenant régulièrement des bénévoles qui viennent pour jouer avec les petits malades. Tous les services de pédiatrie possèdent également un bon nombre de jouets mis à leur disposition.

Puisqu'il est lié au plaisir, le jeu peut constituer une bonne aide à la thérapie. En effet, quand les enfants entrent à l'hôpital ils sont obligatoirement en état de choc physique et psychologique. Ces séjours engendrent chez eux des traumatismes, renforcés par la séparation de leurs parents et de leur vie quotidienne. Pour adoucir ce choc on recommande d'ailleurs toujours aux parents de glisser dans la valise de leur enfant hospitalisé ses jouets favoris, en particulier poupées, peluches et « doudous ». Jouets personnels ou non, de toute façon, le jeu se révèle toujours comme un très bon moyen de dédramatisation et de mise en confiance pour affronter le choc hospitalier,

Les activités ludiques ont été introduites dans les hôpitaux vers les années 60. Aujourd'hui, les enfants qui sont en état de se déplacer se retrouvent dans la salle de jeux avec plaisir. Quant aux autres, ceux qui doivent garder leur chambre, ils sont également sollicités par les infirmières qui se relaient régulièrement à leur chevet. Il existe même maintenant quelques ludothèques animées par des éducateurs. Ces hommes et ces femmes circulent dans les différents services pédiatriques pour aller à la rencontre des enfants alités ou ne pouvant se déplacer. Ils proposent selon les possibilités des jeux collectifs ou individuels.

Valérie, infirmière dans un service pédiatrique nous donne son point de vue : « Grâce au jeu, l'enfant peut extérioriser ses angoisses. Dans certaines saynètes, il reproduit des gestes qu'il nous voit faire. Par exemple avec la mallette-jeux du docteur, une petite fille hospitalisée fait des piqûres à sa poupée ; elle lui explique à sa manière, de ne pas avoir peur parce que c'est pour la guérir ; cela nous permet de comprendre les appréhensions par lesquelles elle est passée. Un enfant qui sait jouer avec un stéthoscope pour ausculter son ours en peluche ou qui s'amusera à lui prendre sa tension, se prêtera sans aucune angoisse aux examens du médecin. »

« Nous encourageons également les parents qui viennent voir leur enfant à jouer avec lui afin que les familles se retrouvent dans le plaisir, voire même dans le rire. L'enfant malade a besoin de revivre la complicité familiale au sein de laquelle il évoluait avant l'hospitalisation. »

« Le jeu permet également la communication. Certains parents réagissent parfois maladroitement face à la maladie de l'enfant, parce qu'ils sont très angoissés eux-mêmes. Ils communiquent souvent davantage leur anxiété à l'enfant qu'ils ne le rassurent, si bien qu'enfant et parents peuvent à la suite d'une hospitalisation sérieuse, s'éloigner au lieu de se rapprocher. Le jeu réintroduit alors la parole, le dialogue et les échanges de toutes natures. »

Le jeu, même futile, est une très bonne défense contre l'angoisse. Il permet à l'enfant de trouver des forces en lui pour affronter des soins thérapeutiques. L'hôpital a reconnu dans les activités ludiques un partenaire privilégié. Le jeu, qui autrefois paraissait superflu, est devenu un allié indispensable des structures pédiatriques.

* * *

Compréhension du texte

1. Quels sont les apports du jeu dans la vie de l'enfant et dans celle du nourrisson ?

2. Pourquoi le jeu a-t-il de l'importance dans les services hospitaliers de pédiatrie ?

3. Pourquoi les enfants ont-ils besoin de jouer dès qu'ils arrivent à l'hôpital ?

4. Depuis quelle année le jeu est-il considéré comme une aide à la thérapie ?

5. Des salles de jeux sont-elles prévues dans les hôpitaux actuels ?

6. Quel type de personnel assure-t-il ce service de jeu auprès des enfants ?

7. En quoi le jeu peut-il dédramatiser une hospitalisation ? Citez les exemples du texte.

8. Pourquoi les parents doivent-ils jouer avec leur enfant hospitalisé ?

9. En quoi le jeu rapproche-t-il les parents de leur enfant hospitalisé ?

10. Y a-t-il des jeux futiles pour un enfant hospitalisé ?

Sensibilisation grammaticale

1. Expression du but : « pour » + infinitif

Dans le texte on relève la phrase : **pour affronter** ce choc hospitalier…

Faites trois phrases sur ce modèle.

Pour ……………………………

L'enfant …………………………… pour ……………………………

Les parents …………………………… pour ……………………………

2. La cause bénéfique : « Grâce à »

Dans le texte on relève la phrase : **Grâce** au jeu…. ce qui signifie que le jeu est une bonne chose pour l'enfant, un bienfait, une grâce.

Sur ce modèle construisez trois phrases qui mettront en valeur une cause bénéfique.

Grâce à ……………………………

Grâce à ……………………………

Il …………………………… grâce à ……………………………

Enrichissement lexical

a) Expliquez les mots suivants : un milieu hospitalier, un bénévole, la pédiatrie, une thérapie, un traumatisme, la dédramatisation, une ludothèque, être alité, être au chevet de quelqu'un, une infirmière, une saynète, une piqûre, un stéthoscope, une auscultation.

b) Quel est le sens du mot vertu dans la première phrase ?

c) Que signifie la phrase : L'enfant a besoin de revivre la **complicité familiale** au sein de laquelle il évoluait…

Proposition de dictée

Un enfant qui entre dans un service hospitalier est souvent très angoissé. Ses parents le sont également aussi. Un moyen de plus en plus courant maintenant est de lui proposer des jeux et de le faire jouer. Les infirmières et les médecins considèrent que le jeu est pour eux une aide considérable à la thérapie. Pour guérir, l'enfant a besoin de cette complicité avec le corps médical et avec ses parents qui lui permet de dédramatiser la situation. Une petite fille qui fait une piqûre à sa poupée aura moins d'angoisse devant la piqûre que l'infirmière va lui faire. Grâce à sa mallette-jeu dans laquelle elle va trouver tout un matériel médical, elle peut reporter sur sa poupée ses propres incertitudes et par là même les exprimer.

Application

Travail oral

Exposé

– Le jeu, moyen privilégié pour évacuer l'angoisse.

– Le discours d'une infirmière à un enfant de 6 ans qui arrive à l'hôpital.

– Un bénévole s'exprime : « Pourquoi je viens toutes les semaines jouer avec les enfants hospitalisés. »

Débat

Quels types de jeux peut-on proposer à un enfant de 7 ans hospitalisé capable de se déplacer ?

Groupe A : propose différents jeux.

Groupe B : analyse les avantages et les inconvénients des jeux proposés.

Travail écrit

Élaboration d'un document

Le service de pédiatrie de l'hôpital de votre ville remet aux parents un document leur expliquant que le jeu est une thérapie indispensable. Pour cette raison, ils doivent apporter des jeux familiers à leur enfant hospitalisé en même temps que ses affaires personnelles. Il demande également aux parents de savoir, lors de leurs visites à l'hôpital, jouer avec leur enfant. C'est le meilleur moyen de le réconforter.

Vous rédigez ce document élaboré par l'hôpital, pour être remis aux parents d'enfants hospitalisés.

Résumé du texte

Relevez les idées principales puis réécrivez-les dans un résumé d'une centaine de mots.

Texte 31

La bande dessinée (la BD)

Objectifs grammaticaux

Révision des temps du passé

Objectifs lexicaux

Le vocabulaire du succès

* * *

Le Festival international de la bande dessinée, qui se déroule chaque année à Angoulême, a célébré, en janvier 2003, son trentième anniversaire. Cette manifestation, à ses débuts insignifiante pour la plupart des Français, est considérée maintenant comme l'un des rendez-vous importants du calendrier culturel de la France. Créée en 1973 par une poignée de bénévoles, cette rencontre désormais internationale s'est imposée au fil des ans, comme le plus grand festival d'Europe dans ce domaine spécifique de l'édition. Chaque année, à l'issue du Festival une série de prix sont décernés à des dessinateurs ou à des scénaristes français et étrangers. Pendant trois jours, artistes et public se retrouvent et dialoguent au sujet de la création de bandes dessinées dans un monde de personnages fictifs qui constituent leur univers.

Aujourd'hui considérée comme un art à part entière, la bande dessinée a su, au fil du temps, conquérir un public fidèle et passionné. C'est à partir du XIX⁰ siècle que le récit en images a commencé à devenir un divertissement populaire largement diffusé, par la naissance en France de personnages très connus tels que Bécassine, les filles Fenouillard ou le sapeur Camembert. Les premières bandes dessinées avaient été imprimées dans les journaux, aux États-Unis, dès les années 1890. Le modèle américain, avec ses bulles, allait triomphalement conquérir le monde. Certains grands héros comme Popeye sont nés vers 1929 et sont encore bien vivants !

Cependant la bande dessinée a vraiment pris son essor dans la première moitié du XX⁰ siècle. Les superhéros américains se sont multipliés comme *Spiderman, Batman, Superman,* devenant rapidement les idoles d'une jeunesse passionnée. Puis est arrivé le *Journal de Mickey* en 1934. La légendaire petite souris a obtenu l'immense succès que l'on connaît puisqu'elle est encore le héros incontesté de gigantesques réalisations

142

commerciales telles que Disneyland, dans la région parisienne, pour ne parler que de la France.

En Europe, les fameux *Pieds Nickelés* sont apparus dès 1908, suivis de *Tintin* en 1929. Le sympathique reporter en pantalons de golf, avec Milou, son chien fidèle, ont fait monter en flèche la cote de la BD. À partir de cette époque, elle a fait une percée importante dans l'histoire du livre pour enfants « de 7 à 77 ans ». *Le Journal de Spirou* a vu le jour en 1938. À partir de 1940-1950 s'est développée une école franco-belge de la bande dessinée. Hergé, après plusieurs albums déjà célèbres a lancé dans sa fameuse lignée, un nouveau journal en 1945 : *le journal de Tintin*. En 1959, René Goscinny et Albert Uderzo ont créé un genre de personnages nouveaux dans la série des Astérix et Obelix…. Puis sont apparus les héros bien connus de tous comme Gaston Lagaffe, Lucky Lucke, les Schtroumpfs et bien d'autres désormais immortels…

Aujourd'hui, en France, les ventes de ces albums sont en augmentation constante chaque année. Un livre vendu sur dix est une bande dessinée. Plus de 1 400 000 exemplaires du dernier *Titeuf* ont été achetés. Le marché de la bande dessinée se porte bien. Les pionniers du genre ont séduit peu à peu un public de plus en plus large. Quels sont les enfants ou les adultes qui n'ont jamais ouvert un album des aventures de *Tintin*, *Lucky Luke*, *Astérix* ou *Mickey*? Ces héros de bande dessinée ne se sont jamais démodés. Ils ont pris place peu à peu dans notre vie quotidienne et notre environnement. On voit des Tintin imprimés sur des tapis de bain ou sur des torchons de cuisine et des Milou ornant les cravates de messieurs très sérieux! Dans le même temps, de jeunes auteurs ont pris le relais et savent tout autant séduire leur public par l'humour, l'originalité, et la qualité de leurs créations. À une époque où les nouveaux lecteurs cherchent les récits rapides, drôles, faciles et abondamment illustrés, la BD n'est pas près de disparaître.

* * *

Compréhension du texte

1. Qu'est-ce qu'une bande dessinée?

2. Que s'est-il passé en janvier 2003?

3. Que se passe-t-il pendant le festival?

4. La bande dessinée est considérée comme un art à part entière. Que veut-on dire par là?

5. Dans quel pays plus particulièrement et dans quels journaux trouve-t-on les premières bandes dessinées?

6. Par quelle nouveauté la bande dessinée américaine s'est-elle imposée dans le monde?

7. Quels sont les premiers héros de bande dessinée qui ont vu le jour en Europe?

8. De quelles bandes dessinées Hergé est-il l'auteur?

9. À qui s'adressent les bandes dessinées?

10. La vente des bandes dessinées en France est-elle importante?

Sensibilisation grammaticale

1. Les temps du passé (révision)

Mettre les infinitifs suivants au temps du passé qui convient.

Des bénévoles (créer) .... le Festival international d'Angoulême en 1973. Auparavant il (n'exister) .... rien en ce domaine. Au fil des années, ils (travaillé) .... pour la création de cette manifestation qui est devenue un événement culturel international. En 2003, le festival (fêter) .... son trentième anniversaire. Les artistes et le public (se retrouver) .... pour cette grande manifestation dans une ambiance où l'humour et la bonne humeur (être) .... au rendez-vous.

Les journalistes (faire) .... des comptes rendus dans les journaux. Le public (se passionner) .... pour cette rencontre à une époque où des problèmes internationaux importants (alourdir) .... la bonne humeur des Français.

La bande dessinée (prendre) .... son essor dans la première moitié du XXᵉ siècle. Popeye (naître) .... vers 1929. Le modèle américain avec ses bulles est (apparaître) .... et a (conquérir) .... le monde. Hergé (créer) .... plusieurs albums. En 1945, le journal de Tintin (voir) .... le jour. Puis en 1959 Le célèbre Gaulois Astérix (faire) .... son apparition. Tous ces auteurs (séduire) .... par leur originalité un public de tous âges qui en réalité (attendre) .... beaucoup ces lectures illustrées.

Enrichissement lexical

a) Qu'est-ce qu'une manifestation insignifiante à ses débuts ?

b) Que veut dire : la BD a pris son essor… ?

c) Que signifie l'expression : monter en flèche ?

d) Qu'est-ce qu'un calendrier culturel ? un scénariste ? une idole ? un pionnier ? un superhéros ?

e) Relevez dans le texte tous les mots ou expressions qui expriment le succès.

Proposition de dictée

La bande dessinée est désormais considérée comme un art à part entière. Née il y a plus d'un siècle aux États-Unis elle s'est imposée en France dès le XXᵉ siècle avec des personnages aussi célèbres que Bécassine. Le très célèbre Tintin, dont les pantalons de golf et le petit chien ont fait le tour du monde, ont pénétré dans notre univers quotidien par tous les gadgets qu'ils illustrent. Un public de plus en plus vaste lit maintenant les BD avec passion. Il est habituel de dire que ce public se compose de lecteurs de 7 à 77 ans. Ces lectures faciles, pleines d'humour et abondamment illustrées correspondent pleinement à la mentalité de notre époque et au temps limité dont disposent les nouveaux lecteurs.

Application

Travail oral

Exposé à préparer à la maison

Amenez dans la classe une bande dessinée de votre choix et présentez-la aux autres étudiants en indiquant:
- le titre, les auteurs (scénaristes, dessinateurs…), l'éditeur, la collection, l'originalité de l'album, le public auquel cet album est destiné, le nombre de pages;
- les raisons de votre choix (développez vos réponses);
- puis résumez l'histoire.

Débat (préparation 15 minutes)

On entend dire: La BD est peut-être très agréable mais elle tue la vraie lecture.

Groupe A: admire la BD et expose tous ses avantages.

Groupe B: est un puissant détracteur de la BD et défend au contraire les avantages d'un vrai livre, du plaisir de la lecture, etc.

Groupe C: tire la conclusion.

Travail écrit

Écrivez comme un conte l'histoire d'un héros de BD que vous aimez bien.

Écrivez en cent mots le résumé du texte.

Texte 32

Le bruit est-il nuisible ?

Objectif grammatical

L'expression d'autant plus
La source d'une information

Objectifs lexicaux

Le bruit et les nuisances sonores

Même si l'on n'en a pas pris encore conscience, le bruit devient un vrai problème de société. En effet, on ne répète pas assez que l'exposition à une source sonore trop puissante, peut être dangereuse pour la santé. C'est une véritable préoccupation pour un grand nombre de personnes qui, pour des raisons diverses sont sans cesse exposées à une violence sonore qu'elles considèrent comme au-dessus de leurs forces. Les grandes villes sont confrontées à ce fléau. 59 % des Franciliens[1] s'en plaignent, contre 48 % des habitants de villes moyennes dans d'autres régions. Un habitant sur deux dans la région parisienne a la sensation de vivre dans un fond sonore permanent. C'est sans doute une des nuisances essentielles de la région parisienne, presque sur le même rang que l'insécurité et la pollution de l'air. Nous verrons à l'aide de chiffres précis que les excès de bruits ont des répercussions néfastes sur la santé. Malheureusement on n'en parle pas assez !

Selon une enquête de l'Insee[2] menée en 2001 dans les agglomérations de 50 000 habitants et plus, les transports sont la première source de nuisances sonores. En effet, outre la pollution atmosphérique que cela engendre, les circulations automobiles, ferroviaire ou aérienne rayonnent forcément tout autour des grandes villes. La lutte est d'autant plus difficile que les sources sonores sont extrêmement nombreuses. Des recherches ont également été effectuées sur les effets perturbants du bruit lié aux transports, qu'ils soient individuels ou publics. Le passage incessant des voitures, des motos ou des cars

---

1. Habitants de l'Île de France, de la région parisienne.

2. Institut national de statistiques.

sous les fenêtres d'un habitant d'une grande ville engendre des gênes psychologiques réelles. Les victimes ont le sentiment d'être perturbées dans leurs occupations quotidiennes et signalent des troubles du sommeil, des réactions de stress, des baisses de performances. Il est évident aussi que si une école est située à côté d'une rue bruyante où l'on entend le bruit des moteurs, les passages des voitures de pompiers ou des vols d'avions, le maître aura plus de difficultés à se faire entendre d'élèves sans cesse distraits.

L'oreille humaine est capable de percevoir toute une gamme de niveaux sonores qui se mesurent en décibels (dB)[3]. Par exemple, une conversation produit environ 50 dB, une salle de classe 70 dB, une automobile 80 dB, une moto, 100 dB, et un avion 140 dB. Cependant, dans sa fragilité et malgré sa complexité, l'oreille ne dispose d'aucun dispositif naturel pour se protéger. Elle peut être abîmée par des traumatismes sonores produits par des excès de décibels. Ce n'est qu'à partir de 120 dB qu'une douleur peut se faire ressentir. Mais le seuil de nocivité se situe bien en dessous. En effet, la nocivité du bruit dépend à la fois de l'intensité du son et de sa durée. Par exemple un temps de deux heures passées dans une discothèque est un phénomène courant. Il présente cependant le même danger que 10 minutes passées devant un marteau-piqueur à 110 dB. De même, une exposition longue et répétée à 90 dB peut perturber l'audition. Routiers, ouvriers du bâtiment, musiciens, etc. font partie de ces deux millions de personnes exposées à un bruit dangereux pour leur santé dans leurs activités professionnelles.

Le bruit peut également être un handicap à l'école. Il gêne la compréhension et l'attention de l'enfant pouvant entraîner des retards dans l'acquisition. On ne peut pas travailler correctement dans une salle de classe où le niveau sonore est élevé et incessant. De même, les cantines scolaires sont montrées du doigt. Le niveau sonore dans certaines d'entre elles peut atteindre 90 dB avec des pointes de 110 dB !

Mais le plus problématique reste bien les traumatismes sonores liés à l'écoute de musiques trop fortes en décibels. Les jeunes affectionnent particulièrement les concerts très bruyants, fréquentent trop régulièrement les discothèques et utilisent de façon excessive les écouteurs plaqués directement sur leurs oreilles. Une enquête sur les loisirs musicaux révèle que deux tiers des jeunes qui assistent à deux concerts de rock ou autres (musique non classique) par mois, ont des baisses d'acuité auditive évaluables. Les baladeurs présentent des dangers dès que l'on dépasse une heure d'écoute par jour. D'après le secrétariat d'État à la santé, 30 000 à 50 000 jeunes et adolescents souffrent d'altérations graves du système auditif !…

Le problème du bruit nous concerne tous. Les pouvoirs publics commencent à prendre des mesures pour essayer d'enrayer les nuisances sonores. Par exemple 45 millions d'euros ont été affectés aux protections contre le bruit ferroviaire et 55 millions d'euros contre celui des routes. De même, en ce qui concerne les salles de concerts pour la musique moderne, différentes lois ont été adoptées pour tenter d'imposer un seuil à la

---

3. Unité servant à exprimer une puissance sonore.

production intense de décibels. Ainsi un décret de 1998, limite le volume sonore dans les salles de concerts et les discothèques à 105 dB tandis que la puissance maximale des baladeurs a été baissée à 100 dB en 1996. Mais toutes ces mesures sont-elles suffisantes pour nous préserver d'un bruit permanent qui nous guette à chaque moment de notre vie ?

* * *

Compréhension du texte

1. Le problème des nuisances sonores est-il important à notre époque ?
2. Quelle est la région de France où ce problème se pose de la manière la plus forte ?
3. Quelle est la première source de nuisances sonores ?
4. Quels sont les troubles que le bruit entraîne ?
5. Quelle est l'unité de mesure de la puissance sonore ?
6. L'oreille a-t-elle les moyens de se protéger contre le bruit ?
7. À partir de quel seuil l'oreille humaine ressent-elle une douleur alarmante ?
8. Les cantines scolaires sont-elles dangereuses pour les oreilles des jeunes enfants ?
9. Que pense-t-on des baladeurs ?
10. Les pouvoirs publics ont-ils conscience de ce phénomène ?

Sensibilisation grammaticale

1. L'expression « d'autant plus »

Dans le texte on relève la phrase : la lutte est **d'autant plus** difficile...

Cela signifie que la lutte est difficile mais qu'une autre cause encore s'y ajoute pour la rendre encore plus difficile : les sources sonores sont extrêmement nombreuses.

Sur ce modèle écrivez trois phrases.

Notre oreille est d'autant plus fragile ....

Les nuisances sonores sont d'autant plus .... que ....

Le bruit est ....

2. Avertir d'où provient une information

Dans le texte on relève deux expressions précisant d'où vient une information.

Selon une enquête de l'Insee...

D'après les pouvoirs publics...

À votre tour donnez les informations suivantes en précisant d'où viennent ces informations (une enquête, un médecin, une émission de télévision, etc.).

– Les nuisances sonores détériorent la santé.

– Le bruit continu est un de nos pires ennemis.

– Les personnes exposées au bruit pour des raisons professionnelles présentent des troubles psychologiques et physiques.

Enrichissement lexical

Relevez tous les mots qui expriment la nuisance sonore et le bruit.

Qu'est-ce qu'un traumatisme sonore ? la nocivité ? un marteau piqueur ? un routier ? un bruit ferroviaire ?

Proposition de dictée

Ce n'est plus à démontrer : le bruit incessant, le vacarme, l'intensité sonore sont des phénomènes quotidiens néfastes à notre santé. Notre civilisation nous oblige à vivre dans un monde sonore que nos concitoyens supportent de plus en plus difficilement. Le gouvernement, conscient de ce danger a pris des mesures, mais combien de gens savent que deux heures dans une discothèque sont une épreuve sonore, sans compter tout simplement un repas à la cantine où le niveau sonore atteint un seuil que les écoliers doivent subir sans pouvoir s'en protéger. Ne parlons pas des baladeurs : les écouteurs plaqués directement sur les oreilles intensifient la puissance sonore. Les usagers permanents sont obligés de constater au bout d'un certain temps une baisse évaluable de leur acuité auditive.

Application

Travail oral

Exposés

– Le bruit intense est nocif pour la santé.

– Quelles mesures peut-on prendre contre le bruit ? Proposition de solutions.

Débat

Dans quelle mesure sommes-nous responsables du bruit dans lequel nous vivons ?

Groupe A : expose des arguments pour montrer que le bruit c'est la vie et qu'une vie en silence serait très ennuyeuse.

Groupe B: expose des arguments pour montrer que le silence et le calme sont importants pour la santé.

Groupe C: tire les conclusions avec bon sens.

Travail écrit

Rédaction d'une lettre

Une mère de famille écrit au directeur de la cantine où son enfant déjeune régulièrement pour lui demander de prendre des mesures afin qu'il y ait moins de bruit. Elle lui fait quelques suggestions concrètes et lui explique que son enfant est fortement perturbé par cette atmosphère si bruyante.

Résumé

Relevez les idées principales du texte et écrivez-les dans un résumé d'une centaine de mots.

Texte 33
Le TGV Méditerranée

Objectifs grammaticaux

Une expression de la cause : du fait de
Une expression de l'égalité : tout autant

Objectifs lexicaux

Le champ lexical des transports ferroviaires

* * *

L'inauguration de la nouvelle ligne TGV Méditerranée en juin 2001 a été un véritable événement en France. L'exploit technologique est en effet remarquable. Désormais, trois heures suffisent pour se rendre de Paris à Marseille. Ainsi le nord et le sud de la France sont aujourd'hui reliés par une ligne SNCF à grande vitesse. L'enjeu était de taille sur le plan commercial et économique, car la région de Marseille est une des plus industrielles de France.

L'apparition de la première ligne TGV en France date de 1981, reliant les villes Paris-Lyon. Mais cependant il faudra patienter encore vingt ans pour voir le TGV rejoindre enfin Marseille, le grand port méditerranéen, qui jusqu'à présent était bien éloigné de la capitale du fait de sa situation dans l'extrême sud du pays.

Alors que pour le même trajet, en 1867, les voyageurs mettaient plus de seize heures, ceux de 1960 triomphaient devant un voyage de sept heures et demie seulement. En 1994 le temps était réduit à quatre heures dix minutes du fait de l'utilisation des lignes à grande vitesse jusqu'à Lyon. Et aujourd'hui, trois heures suffisent pour traverser la France et arriver sur les bords de la Méditerranée….

Cette réussite technique n'a pu se réaliser que grâce à la mise en place d'un gigantesque chantier étalé sur une grande partie du pays, modifiant souvent le paysage malgré toutes les manifestations hostiles des riverains que le projet avait heurtés dès sa publication. Pendant les cinq années de travaux où le chantier s'est développé, on a comptabilisé cent millions d'heures de travail, 11 000 emplois directs ou indirects, la construction de trois nouvelles gares, de 483 ouvrages d'arts dont 17 kilomètres de viaducs, 12 kilomètres de tunnels et souterrains pour un coût global de 3,81 milliards d'euros…

Selon l'avis unanime de ceux qui ont déjà eu l'occasion de les observer, les ouvrages d'art, comme le viaduc de Ventabren près d'Aix-en-Provence, sont de vraies réussites architecturales, tout autant que des prouesses techniques. Malgré l'étendue de l'ouvrage, la légèreté et l'élégance de ses courbes forcent l'admiration.

La traversée de la France en TGV mérite le regard des voyageurs trop souvent blasés par le confort des rames, aménagées dans un souci manifeste de bien-être. Alice, 36 ans nous décrit son admiration : « La Beauce, la Bourgogne, le Beaujolais, le Lyonnais, la vallée du Rhône dans toute leur splendeur défilent sous mes yeux. Je suis émerveillée. Cela vaut le coup ! Regardez ! Hélas, personne n'y prête attention ! Les trois quarts des voyageurs sont plongés dans leur bouquin ou magazine, les autres dorment pour passer le temps ; les hommes d'affaires ne quittent pas le petit écran de leur ordinateur portable. Pourtant pour moi c'est extraordinaire, dans un temps record, de traverser les âges et des modes de vie aussi opposés. » En effet, dès la sortie de Paris, les immenses champs de blé, puis les pâturages où les vaches paissent tranquillement malgré le bruit du train à grande vitesse, ravissent le citadin. Puis la proximité de vieux villages avec une église romane de toute beauté, entourée de vieilles fermes de pierre surmontées de cheminées fumantes, comme il y a trois ou quatre siècles, montre que la vie pourrait être encore simple et tranquille dans ces lieux retirés. Le voyageur admiratif ne réalise cependant pas qu'ils sont ébranlés plusieurs fois par jour par le passage de ces flèches d'acier ultra-modernes que sont les TGV. Comme leur vie a dû être gâchée le jour où les nouvelles lignes ont traversé leurs pâturages si paisibles ou leurs exploitations agricoles.

Alors, n'hésitons plus, traversons la France dans un sens comme dans l'autre ! Soit dans le sens Paris-Province pour retrouver le soleil du Midi, le Vieux Port de Marseille, les calanques[1] la Méditerranée avec toutes ses senteurs, soit dans le sens Marseille-Paris pour se promener sur les grandes avenues parisiennes et visiter toutes les merveilles que la capitale française peut proposer à trois heures de la Canebière[2].

---

1. Des découpures profondes de la côte rocheuse.

2. La plus grande avenue de Marseille célèbre par son animation.

* * *

Compréhension du texte

1. Pourquoi l'inauguration du TGV Méditerranée a-t-elle été un événement si important en France ?

2. En quelle année le premier TGV a-t-il été construit en France ?

3. Quelles villes reliait-il ?

4. Combien de temps fallait-il au siècle dernier pour se rendre de Marseille à Paris ?

5. Donnez quelques exemples pour montrer l'ampleur du chantier.

6. Est-ce que les riverains étaient favorables à ce projet, à ses débuts?

7. Les rames du TGV sont-elles confortables?

8. Pourquoi Alice dit-elle que le trajet en TGV permet de traverser les âges et les modes de vie? Donnez des exemples.

9. Pourquoi les agriculteurs dont on voit les fermes en passant en TGV ne peuvent plus maintenant avoir une vie heureuse?

10. Citer trois sites célèbres de Marseille.

Sensibilisation grammaticale

1. Une expression de la cause : « du fait de »

Dans le texte on relève : Marseille était éloignée de la capitale, **du fait de** sa situation…

Le temps… était réduit à quatre heures dix minutes, **du fait de** l'utilisation des lignes à grande vitesse.

Dans les deux cas une affirmation est suivie d'une cause réelle bien reconnue.

À votre tour sur le même modèle, écrivez quatre phrases.

Marseille est à trois heures de Paris du fait de ....

Les rames du TGV sont confortables du fait de ....

.... du fait de ....

.... du fait de ....

2. Une expression de l'égalité : « tout autant que »

Dans le texte on relève : … de vraies réussites architecturales **tout autant que** des prouesses techniques.

Tout autant que marque une égalité parfaite.

À votre tour construisez quatre phrases sur le même modèle.

Il aime se promener à Paris tout autant qu'à ....

.... tout autant que ....

.... tout autant que ....

.... tout autant que ....

Enrichissement lexical

a) Relevez dans le texte tous les mots qui sont dans le champ lexical du train et des transports ferroviaires.

b) Donnez le sens des mots suivants : un riverain, comptabiliser, une prouesse, être blasé, des pâturages, un viaduc, un tunnel, paître, une église romane.

Proposition de dictée

Le Train à grande vitesse fait désormais partie du paysage mettant le grand port méditerranéen à trois heures de la capitale après une traversée magnifique des plus belles régions françaises : la Beauce, la Bourgogne, le Beaujolais, le Lyonnais et pour finir la vallée du Rhône. Pour arriver à cette prouesse technique il a fallu mettre en place un chantier gigantesque, construire quatre cent quatre-vingt-trois ouvrages d'art dont dix-sept kilomètres de viaducs, douze kilomètres de tunnels et trois immenses gares nouvelles. Le budget a été fabuleux, plusieurs milliards d'euros, mais la réussite est totale.

Application

Travail oral

Exposés

– L'intérêt économique et touristique de relier la capitale à une des plus grandes villes de province.

– Y a-t-il des projets trop audacieux ?

Débat

De nombreuses manifestations de riverains ont retardé pendant un certain temps le projet du TGV Méditerranée. Des points de vue très différents et très légitimes s'opposaient.

Groupe A : défend le point de vue des riverains.

Groupe B : défend le point de vue des concepteurs du projet.

Groupe C : prépare le discours d'inauguration de la ligne à grande vitesse, en mettant en balance les différents points de vue et en les justifiant.

Travail écrit

Élaboration de documents

– Vous préparez une banderole en vue d'une manifestation contre le TGV qui va traverser votre exploitation agricole.

– Vous écrivez une lettre au directeur de la SNCF pour lui demander l'arrêt du projet de ligne à grande vitesse au nom de la sauvegarde de la tranquillité des lieux de vie.

Rédaction d'une lettre

Vous venez d'effectuer la traversée de la France en trois heures. Vous êtes enthousiasmé. Vous écrivez à un(e) ami(e) pour lui raconter votre voyage et votre admiration devant les prouesses techniques que cela représente.

Texte 34

Si nous avions plus de temps !

Objectifs grammaticaux

L'hypothèse
Une expression de la cause : à force de

Objectifs lexicaux

Les expressions courantes du temps

* * *

Ah ! Ce temps qui passe trop vite ! Mille fois chanté par les poètes, toujours espéré et réorganisé, il nous fait sans cesse courir pour essayer d'en trouver un peu ! Notre plus belle satisfaction n'est-elle pas d'avoir gagné une heure ou deux ou seulement quelques minutes sur un horaire préétabli ? Et alors, comme il semble bon d'avoir du temps devant soi ! Malgré ces petites victoires, nous mesurons que, même si nous avons pu gagner un jour ou deux au mieux, le temps continue à filer, à filer… et on recommence à calculer comment en gagner encore d'autres, et on continue à courir au plus pressé, à agir constamment dans l'urgence, et à tirer chaque soir les feuilles du calendrier qui s'arrachent l'une après l'autre avec une rapidité surprenante. Les jours, les semaines, les mois, les années défilent toujours sans qu'on s'en aperçoive. Un jour chasse l'autre. La course au temps fait ainsi vraiment partie de nos vies et il en sera toujours ainsi.

Il est évident que le temps est un des biens les plus précieux que nous ayons. Il nous est nécessaire pour grandir, pour étudier, pour nous construire, pour travailler, pour apprendre à aimer, pour réfléchir, pour nous organiser, bref pour vivre. C'est notre cadre de vie le plus quotidien et le plus mesurable.

Aujourd'hui, alors que les technologies les plus sophistiquées ont tout fait pour nous faire gagner du temps, celui-ci continue à nous manquer tout autant. On téléphone en marchant, on dévore les romans ou les journaux dans les transports en commun, on écoute la radio ou la télévision en faisant beaucoup d'autres tâches, on court toujours, et peut-être encore plus qu'autrefois où chacun prenait tranquillement son temps pour accomplir les moindres tâches de la vie quotidienne. L'utilisation du temps d'attente dans les gares, les aéroports ou le métro est également rentabilisé. Grâce aux panneaux d'affichage nous indiquant le temps dont on dispose avant le prochain train ou le prochain avion, nous pouvons faire nos courses dans de véritables centres commerciaux qui fleurissent tout autour de ces lieux de transit, justement pour nous faire gagner du temps ou pour nous permettre de ne pas le gaspiller !

Ne vous est-il jamais arrivé de rêver d'avoir plus de temps pour réaliser tous vos projets ou rêves ? Si nous avions plus de temps, que ferions-nous ? Si nous avions plus de temps, nous partirions en voyage, nous lirions des journées entières, nous irions nous promener seul ou en famille.

Posez la question autour de vous et vous verrez. Par exemple Jean-Pierre, cadre commercial dans une grande société : « Si j'avais plus de temps, je ferais plus de sport, je prendrais le temps de vivre. Si j'avais la possibilité de rentrer tôt le soir chez moi, je discuterais plus avec mes enfants, j'écouterais de la musique ou j'irais au concert. » Ou encore Véronique, jeune mère de famille qui travaille dans une banque : « Si j'avais plus de temps, je sortirais avec mes enfants, je les emmènerais voir des tas de choses intéressantes, nous irions ensemble à la piscine toutes les semaines. Si j'avais du temps, je le consacrerais à ma famille… » Ne pas avoir de temps semble toujours une énorme frustration alors que trouver du temps semble une activité valorisante et satisfaisante pour la plupart de nos contemporains. Le temps demande à être géré avec bon sens et raison comme la plupart de nos autres activités.

À l'inverse, on rencontre aussi dans la vie des gens qui cherchent à tuer le temps. Pour eux les journées semblent trop longues et le cours des années interminable. Ce sont en général ceux qui ne trouvent pas d'intérêt à ce qu'ils font ou qui sont immobilisés pour une raison quelconque. Alors, ils s'installent dans une sorte d'attitude passive devant le déroulement des journées. Cette attitude n'est évidemment pas satisfaisante car elle les marginalise par rapport à l'ensemble de la population.

Peut-être qu'à force de vouloir toujours gagner du temps pour vivre à un rythme souvent au-dessus de nos possibilités, nous finirons par comprendre que la sérénité devant un horaire bien équilibré est un atout important de bonne santé.

* * *

Compréhension du texte

1. La course pour gagner du temps est-elle universelle ?

2. Pourquoi voulons-nous toujours avoir du temps devant nous ?

3. En quoi consistent nos petites victoires sur le temps ?

4. En quoi le temps est-il notre cadre de vie ?

5. Comment les technologies modernes nous font-elles gagner du temps ? Donner quelques exemples.

6. Pourquoi continuons-nous à courir après le temps ?

7. Quel sentiment éprouvons-nous lorsque nous avons l'impression de manquer de temps ?

8. Comment peut-on tuer le temps?

9. Comment pouvons-nous bien gérer notre temps?

10. Notre attitude face au temps a-t-elle une influence sur notre santé?

Sensibilisation grammaticale

1. L'hypothèse: imparfait + conditionnel

Dans le texte on relève la phrase suivante: **Si j'avais** plus de temps, **je ferais** du sport.

Relevez d'autres phrases du même type.

À votre tour construisez des phrases sur le même modèle en exprimant un souhait ou un rêve.

Si j'avais de l'argent ....

Si j'avais du temps ....

Si j'avais trois mois de vacances devant moi ....

Si j'habitais au bord de la mer ....

2. Une expression de la cause: « à force de »

Dans le texte on relève la phrase: ... **À force de** vouloir toujours gagner du temps... nous finirons par comprendre.

Cette expression de la cause implique un effort répété dont le résultat se mesure à la phrase suivante: finir par + infinitif

Sur ce même modèle écrivez des phrases de votre choix.

À force de travailler .... il finira par ....

À force de se soigner ....

À force de supplier son directeur ....

À force d'écrire des lettres de réclamation ....

Enrichissement lexical

1. Les expressions du temps

Donnez une définition exacte des expressions du temps suivantes ou insérez-les dans un contexte de votre choix: Gagner du temps – Avoir du temps devant soi – Le temps file – La course au temps – Le temps nous manque – Gaspiller son temps – Perdre son temps – Trouver du temps – Tuer le temps.

2. Expliquez les mots suivants

Le calendrier, un cadre de vie, un panneau d'affichage, un cadre commercial, une activité valorisante, être marginalisé, un atout.

3. Relevez les mots ou les phrases du texte qui expriment la vitesse

Proposition de dictée

La plus grande partie de la population active ne pense qu'à gagner du temps. Les journées sont pourtant les mêmes pour tout le monde, mais la gestion de notre temps constitue une de nos préoccupations les plus pressantes. Même si notre temps est bien organisé il nous manque toujours, si bien que pour en gagner, on fait souvent plusieurs choses à la fois. On téléphone en marchant, on prend ses repas en écoutant la radio ou la télévision, on lit dans le train, etc. Nous nous donnons beaucoup de peine pour essayer de marquer de petites victoires sur le temps et pourtant le calendrier fait défiler pour nous à toute vitesse les semaines, les mois et les années. Nous avons toujours la certitude que, si nous avions beaucoup plus de temps nous ferions beaucoup de choses, si bien que nous faisons des rêves, des hypothèses qui nous rassurent et nous sommes heureux d'exprimer des souhaits qu'évidemment nous réaliserons quand nous aurons beaucoup de temps !

Application

Travail oral

Exposés (préparation individuelle : 10 minutes)

Chacun expose ses souhaits s'il avait plus de temps (utilisez le conditionnel).

Débat

Nos choix devant notre temps libre.

Groupe A : soutient l'idée que l'intérêt du temps libre c'est justement la liberté qu'il nous donne : on peut le perdre, on peut traîner, cela n'a pas d'importance puisqu'il est fait pour cela.

Groupe B : soutient l'idée que le temps libre est fait pour construire autre chose dans les domaines de notre choix et implique donc un emploi du temps bien construit.

Groupe C : fait la synthèse des idées exprimées en les reformulant et tire des conclusions.

Travail écrit

Création d'un document

Vous organisez minutieusement par écrit votre (ou un) emploi du temps pour la semaine prochaine.

Essai

L'organisation des loisirs d'un étudiant.

Résumé du texte en cent mots après avoir soigneusement relevé les idées principales.

Texte 35

Une visite de musée, pourquoi pas ?

Objectifs grammaticaux

La conséquence exprimée par c'est ainsi que
La préposition parmi

Objectifs lexicaux

Le vocabulaire de l'art et des musées

* * *

Ces dernières années, les responsables du patrimoine culturel ont su redonner un dynamisme et un nouvel essor aux nombreux musées de France. En effet ceux-ci, désertés par le public il y a encore une vingtaine d'années, ont aujourd'hui fait peau neuve et accueillent 70 millions de visiteurs par an sur tout le territoire. Ce succès est dû en grande partie d'abord à un vent de modernité que les dirigeants artistiques, administratifs et politiques ont su insuffler aux nombreux centres d'Art qui fleurissent dans nos contrées françaises. Et ensuite aux efforts importants qui ont été faits en ce qui concerne le marketing et la communication. Les conservateurs et les politiques s'ingénient à rechercher toutes sortes de moyens pour attirer et fidéliser un public important. Et ils y arrivent si l'on en juge par les files d'attente impressionnantes que l'on voit maintenant aux portes des musées.

Les musées aujourd'hui ne sont plus ces lieux poussiéreux qui faisaient dire au poète Lamartine au XIXe siècle : « Je suis las des musées, cimetières des arts. » Depuis quelques années déjà, de nombreux musées ont été créés ou rénovés. Les villes ont compris le rôle important que pouvaient jouer ces « lieux de mémoire » dans les domaines éducatifs, sociaux et politiques. C'est ainsi que l'on peut découvrir dans toutes les régions de France des musées de toutes sortes, modestes ou spectaculaires qui regorgent, outre de peintures ou de sculptures, de découvertes archéologiques, de curiosités provenant des traditions populaires, de l'artisanat, des objets du patrimoine historique, scientifique ou industriel, etc.

Le centre Georges Pompidou a été l'un des phares de ce renouveau des musées, inauguré en 1977. Cette « usine à gaz » pour les uns ou « vaisseau amiral de la culture » pour les autres abrite en son sein de vastes structures regroupant la création contemporaine (musique, arts plastiques, architecture, cinéma, expositions temporaires etc.) une vaste bibliothèque, des archives et un musée national d'Art moderne. Le succès fut énorme et un an après son ouverture, « Beaubourg » enregistrait plus de 6 millions d'entrées !

Les musées consacrés à l'Art contemporain se sont multipliés. Parmi les plus importants nous pouvons citer dans le sud de la France la fondation Maeght à Saint-Paul de Vence qui comptabilise plus de 6 000 œuvres, le musée d'Art moderne de Saint-Étienne, ceux de Bordeaux, Grenoble, Toulouse, Nîmes, etc. Françoise Lalo, responsable d'un musée d'art contemporain nous fait part des difficultés qu'elle rencontre pour amener cet art encore souvent incompris à un large public : « Mon expérience m'amène à penser qu'une partie de ma mission n'est pas seulement de rendre l'œuvre "compréhensible" aux yeux et à la sensibilité du grand public mais de faire sauter le blocage qui empêche l'œuvre d'un artiste d'être regardée. Je constate également souvent un manque de curiosité à l'égard des créations contemporaines. C'est pourquoi nous organisons des expositions à thèmes afin d'éduquer et de faire comprendre les richesses des travaux de nos contemporains. »

À Paris, les musées sont nombreux. Les vastes chantiers culturels de ces dernières années ont favorisé cet ancrage de l'art dans la capitale. Au nord de Paris, les bâtiments des anciens abattoirs de la Villette se sont transformés en Cité des sciences et de l'industrie, la plus grande du genre en Europe. Les anciens hôtels particuliers de l'aristocratie française accueillent aujourd'hui bon nombre de musées, l'Hôtel Salé, dans le Marais est devenu le Musée Picasso, l'Hôtel Biron du faubourg Saint-Germain, rassemble les œuvres du sculpteur Auguste Rodin, etc. L'ancienne gare d'Orsay, qui pendant près de quarante ans a vu s'éloigner plus de 200 trains par jour, regroupe toutes les formes d'expressions artistiques (peinture, sculpture, architecture, arts décoratifs, cinéma, photographie, arts graphiques, musique, littérature, histoire), et offre ainsi au public un éventail exceptionnel de l'art des années 1848 à 1914.

Enfin, le Louvre, le plus grand musée du monde actuellement, détient en ses bâtiments de prestigieuses collections d'objets d'art. C'est après douze ans de travaux menés de main de maître par l'architecte Ieoh Ming Pei que le Grand Louvre s'est littéralement transformé et modernisé. Aujourd'hui, on y entre par la célèbre pyramide de verre ; ses surfaces d'exposition sont doublées, la façade est restaurée, le public est comblé puisque l'on compte 3,5 millions de visiteurs par an.

Mais les musées aujourd'hui n'ont plus comme seule vocation d'exposer aux regards du public des chefs-d'oeuvre de tous genres. Ils s'ouvrent également sur des notions plus commerciales et attractives. C'est ainsi que de nombreux complexes commerciaux, des librairies, des *cafétérias* se sont ouvertes dans leur sillage. Ces différentes prestations sont très prisées par les agences de voyages toujours à l'affût de toute originalité.

Aller au musée peut par conséquent faire l'objet d'une sortie très agréable en famille, seul ou entre amis. Depuis le 1er janvier 2000, l'entrée des musées nationaux est gratuite le premier dimanche de chaque mois. De plus, lors du « Printemps des musées », en mars-avril, plus de 800 musées ouvrent gratuitement leurs portes. Alors, n'hésitons plus. Allons à la découverte de l'Art si accessible désormais pour chacun de nous.

* * *

Compréhension du texte

1. Pourquoi les musées ont-ils plus de visiteurs maintenant ?
2. Combien comptabilise-t-on de visiteurs de musées chaque année en France ?
3. Que disait Lamartine en parlant des musées ?
4. Quel peut être le rôle d'un musée dans le domaine éducatif ?
5. Les musées n'abritent-ils que des tableaux ?
6. Quelle période de l'art est exposée au centre Georges Pompidou ?
7. Citez trois musées de province qui sont des centres actifs de renouveau artistique.
8. Citez deux musées parisiens installés dans d'anciens hôtels particuliers.
9. Une gare peut-elle abriter un musée ? Citez un exemple.
10. Quel est le nom de l'architecte de la pyramide du Louvre ?
11. Quels types de boutiques s'installent maintenant autour des musées ?
12. Peut-on entrer gratuitement dans un musée national ?

Sensibilisation grammaticale

1. Une expression de la conséquence : « C'est ainsi que »

Dans le texte on relève la phrase : **C'est ainsi que** l'on peut découvrir dans toutes les régions de France des musées de toutes sortes…

Cette expression constate une conséquence logique et explicative de la phrase précédente.

À votre tour formulez des phrases sur le même modèle.

On assiste à un renouveau d'intérêt pour l'art en France. C'est ainsi que ………

Les musées paraissent plus accessibles au grand public. C'est ainsi que ………

Les Français apprécient l'art contemporain. C'est ainsi que …………

2. Étude de la préposition « parmi »

Dans le texte on relève la phrase : Les musées se sont multipliés… **Parmi** les plus importants…

Cette expression marque l'appartenance à un ensemble (l'ensemble ici est désigné par le mot musée), puis le choix de un ou plusieurs qui vont être cités.

Sur ce même modèle, complétez les phrases suivantes.

Les tableaux de Picasso sont très célèbres. Parmi les plus connus ....

Le Louvre abrite des peintures que tout le monde connaît. Parmi les plus populaires ....

Plusieurs types de commerces s'installent autour des musées. Parmi les plus fréquentés ....

Enrichissement lexical

a) Relevez dans ce texte tous les noms de musées cités.

b) Relevez tous les mots qui relèvent du champ lexical de l'art.

c) Expliquez les expressions ou les mots suivants : un essor, un conservateur de musée, l'artisanat, le patrimoine, une exposition à thème, un complexe commercial, faire peau neuve, s'ingénier à, fidéliser un public, mener des travaux de main de maître.

d) Que signifie la phrase : Je suis las des musées, cimetières de l'art.

Proposition de dictée

Pendant longtemps les musées ont été poussiéreux et souvent sans intérêt pour un bon nombre de Français. Depuis quelques années des efforts considérables ont été entrepris pour redonner au grand public le goût de la peinture. C'est ainsi que les écoliers, dès leur plus jeune âge, sont maintenant en contact avec des œuvres d'art que leurs instituteurs leur apprennent à aimer et à comprendre. Le grand public retrouve un intérêt énorme à l'art si l'on en juge par les files d'attente impressionnantes que l'on voit devant les expositions ou les musées rénovés. Une fois par mois les musées nationaux ouvrent gratuitement leurs portes si bien que tout le monde peut maintenant avoir accès aux plus belles œuvres du patrimoine national.

Application

Travail oral

Exposés (préparation : 10 minutes)
– Pourquoi j'aime la peinture.
– Pourquoi je n'aime pas visiter un musée.
– Description d'un tableau que vous aimez.

Débat en groupe (préparation 15 minutes)

Les réactions devant l'art abstrait contemporain

Groupe A : défend l'art abstrait et explique pourquoi.

Groupe B : rejette l'art abstrait et explique pourquoi.

Groupe C : tire les conclusions de ce qui a été dit.

Travail écrit

Élaboration d'un document

Vous faites un dépliant à distribuer dans les écoles pour inviter les enfants à venir visiter une exposition de peinture.

Essai

L'art est-il accessible à tous ?

Résumé

Relevez les idées principales et résumez-les dans un texte d'une centaine de mots.

Texte 36

Mendiants, SDF ou clochards ?

Objectifs grammaticaux

Des expressions du temps
Sans + l'infinitif
Utilisation de puisque et de étant donné
Expressions de la cause connue
Introduction de phrases interrogatives dans le déroulement du récit

Objectifs lexicaux

Le champ lexical de l'errance et de la mendicité

* * *

Le phénomène est de plus en plus répandu. Nous sommes habitués maintenant à rencontrer fréquemment des SDF[1] de toutes sortes.

Cela commence par le ou les mendiants assis sur le trottoir au bas de notre immeuble, entourés de chiens couchés autour d'une petite boîte destinée à recevoir nos pièces. Ce sont souvent des jeunes ; ils nous paraissent paumés[2]. Quelquefois ils nous interpellent. Souvent ils ne disent rien. Ils attendent on ne sait quoi. Ils attendent que la journée se passe et que leur petite boîte soit un peu plus garnie. La plupart du temps, on fait semblant de ne pas les voir et l'on passe son chemin sans tourner la tête. Où iront-ils ce soir ? Où mangeront-ils ? On ne se pose même pas la question. La seule chose qui est sûre, c'est qu'ils nous gênent, si bien que notre premier réflexe est souvent de les ignorer.

Depuis quelques années, il n'est pas rare non plus de voir des hommes ou de jeunes enfants sur le bord des routes devant les feux rouges. Ils frappent à la portière des voitures pour demander eux aussi une petite pièce. Quel que soit le temps, qu'il fasse une chaleur torride ou qu'il tombe des cordes, rien ne les arrête. Ils restent là, sans beaucoup de succès, du lever du jour à la nuit tombée depuis bien longtemps.

---

1. Sans domicile fixe (les SDF), ceux qui vivent dans la rue.

2. Perdus, égarés.

Un autre type de SDF se retrouve plutôt dans les couloirs de métro quand il fait froid ou sur les bancs publics quand la température le permet. Ils sont en général deux ou trois. Ils parlent haut et fort, ils se disputent facilement ; rarement ils rient. Quelquefois ils invectivent les passants. Bien souvent ils ont une bouteille de vin rouge à la main ou bien on en voit une qui dépasse de leur poche. Étant donné qu'ils se considèrent comme des « clochards », la nuit ils iront dormir sous une porte cochère ou dans l'embrasure d'une porte, couverts de cartons d'emballage qui les protégeront bien mal du froid. Quand les bénévoles du SAMU social se pencheront sur eux pour leur proposer de les amener dans un local fermé, ils refuseront avec mépris. Ils détestent les bienfaiteurs, la collectivité, la promiscuité des dortoirs, les horaires, les règlements, les interdictions et tout ce qui peut attenter à leur liberté. Ils sont complètement marginaux. Chaque année, plusieurs d'entre eux, hommes ou femmes, lors des grandes vagues de froid sont retrouvés morts dans le petit matin glacé des hivers particulièrement rigoureux.

Enfin une autre catégorie de SDF est beaucoup plus structurée. Ce sont « les gens du voyage ». Ils vivent en famille, souvent même en tribus, dans des caravanes confortables. Ils ont souvent une profession, dans les cirques, dans les foires où ils tiennent un stand ou un manège. Quelquefois ils n'en ont pas : ils se contentent de tresser des paniers ou d'assurer d'autres « petits boulots » qui leur permettent à peine de survivre. Leur arrivée dans une ville est toujours un problème pour la municipalité qui a l'obligation de tenir un terrain vague à leur disposition. Les enfants doivent être admis dans l'école du village puisque la scolarité est obligatoire en France. Leur origine inconnue et leur marginalité entraînent toujours des réactions de méfiance et de suspicion chez les habitants sédentaires des villages où ils fixent leurs caravanes.

Le problème de l'errance est sans doute universel mais c'est un phénomène qui prend de l'ampleur dans un monde où la pauvreté s'étend. Comment le résoudre sans attenter à la liberté de choix des uns et des autres ou sans fermer les yeux sur la misère du monde ?

* * *

Compréhension du texte

1. Rencontrons-nous souvent des SDF ?
2. Citez quatre lieux où on les rencontre habituellement.
3. Quels sont les quatre types de SDF évoqués dans le texte ?
4. Comment les passants réagissent-ils quand ils voient un mendiant assis sur le trottoir ?
5. Qu'attendent ces mendiants ?
6. Qu'est-ce que des clochards ?
7. Acceptent-ils facilement qu'on leur propose un logement ?
8. Qui sont les gens du voyage ?

9. Pourquoi se méfie-t-on d'eux en général?

10. Pourquoi le phénomène de l'errance prend-il des proportions mondiales?

Sensibilisation grammaticale

1. Des expressions de temps

a) Relevez dans le texte au moins quatre expressions qui marquent le temps.

b) Employez-les dans des phrases de votre choix.

2. Sans + l'infinitif

Exemple du texte : sans tourner la tête.

Sans est suivi de l'infinitif.

Sur ce modèle, reformulez les phrases suivantes.

Le mendiant a passé la journée sans ....

Le piéton a marché dans la rue sans ....

Il a mis une pièce dans la petite boite sans ....

Nous avons vu des clochards sans ....

3. Expression de la cause avec « étant donné que » et « puisque »

Dans le texte on relève les deux phrases suivantes.

Étant donné qu'ils se considèrent comme des clochards;

… puisque la scolarité est obligatoire…

Dans les deux cas on parle d'une cause connue.

Sur ces modèles, reformulez à votre tour des phrases de votre choix en exprimant une cause connue.

Étant donné que ....

Je .... puisque ....

Étant donné que ....

Il .... puisque ....

Enrichissement lexical

a) Écrivez les mots du texte qui relèvent du champ lexical de la mendicité et de l'errance.

b) Répondez aux questions suivantes :

– Quelle différence faites-vous entre :
- un errant et un sédentaire ?
- un clochard et un mendiant ?
- une porte cochère et l'embrasure d'une porte ?
- interpeller et invectiver ?

– Qu'est-ce qu'on appelle un petit boulot ?

– Qu'est-ce qu'un bénévole ? Quel est le contraire de ce mot ?

– Qu'est-ce que la promiscuité ?

– Qu'est-ce qu'une chaleur torride ?

– Que signifie la phrase : Il tombe des cordes ?

– Que veut dire : être marginal ?

– Qu'est-ce qu'un manège dans une foire ? Donner un exemple.

Proposition de dictée

Le phénomène de la mendicité s'étend maintenant dans toutes les villes. Mendiants et clochards nous interpellent de plus en plus fréquemment. Bien souvent leur présence dans nos lieux de vie nous déroute et nous gêne. Ils sont souvent si marginalisés qu'ils refusent l'aide des bénévoles du SAMU qui leur proposent un abri en hiver. Chaque année un certain nombre d'entre eux trouvent la mort dans la rue pendant les grandes vagues de froid. Il n'y a pas de villes maintenant où l'on ne rencontre des personnes socialement inadaptées, qui ne peuvent vivre que parce qu'elles demandent des pièces aux passants. Ceux-ci restent souvent indifférents. Sans vouloir fermer les yeux sur la misère du monde maintenant universelle, ils sont gênés par la présence de ces personnes à qui il manque tout, depuis un domicile fixe jusqu'à la nourriture quotidienne. Cette forme de pauvreté est maintenant commune et s'amplifie chaque jour davantage dans le monde.

Application

Travail oral

LE PROBLÈME SOCIAL DE LA MENDICITÉ

Exposés

– À partir des idées exprimées dans le texte, exprimez votre prise de position personnelle sur le sujet (préparation 15 minutes).

– Vous êtes le maire d'une grande ville dans laquelle les mendiants sont très nombreux. Vous avez reçu des lettres de protestation de certaines personnes qui sont choquées par la présence de ces vagabonds étalés sur les trottoirs de leur ville avec des chiens. Vous faites un exposé devant le conseil municipal pour annoncer les mesures que vous comptez prendre (préparation 15 minutes).

Débat

Établissez un débat en groupes où deux points de vue s'affronteront (préparation 15 minutes).

Groupe A : estime qu'il faut donner des pièces chaque fois que l'on est sollicité.

Groupe B : estime qu'il faut ignorer ceux qui vous tendent la main.

Groupe C : établira une conclusion raisonnable et humaine.

Travail écrit

Rédaction d'une lettre

Vous écrivez une lettre au maire de votre ville pour lui proposer une solution plus humaine au phénomène de la mendicité sur les trottoirs.

Rédaction d'un document

Vous préparez une affiche pour informer ceux qui dorment dans la rue qu'ils peuvent se rendre dans un centre d'accueil où ils trouveront un repas chaud et un lit pour une nuit.

Résumé du texte

Séparez et notez les paragraphes.

Relevez l'idée essentielle de chaque paragraphe.

Établissez un résumé de ces idées dans un texte d'une centaine de mots.

Prévoyez 45 minutes pour ce travail.

Texte 37

Femme au XXIᵉ siècle

Objectifs grammaticaux

Construction de phrases plus complexes

Objectifs lexicaux

Le couple, la famille, la vie professionnelle

* * *

Depuis que le monde existe, la femme cherche sa place dans la société. Elle doit se définir par rapport à de nombreux critères, mais essentiellement par rapport à l'homme, par rapport à la famille, par rapport à la vie sociale et professionnelle.

Homme et femme sont à part entière dans la société. Ils sont complémentaires car chacun est riche de sa spécificité due à son identité. Ces richesses de l'un et l'autre, accumulées et bien gérées, font la force d'un couple où chacun assume un rôle et des responsabilités pensées et organisées d'un commun accord. En revanche, ce qui déséquilibre un couple homme-femme, c'est lorsqu'un des deux impose sa personnalité trop fortement en réduisant celle de l'autre. Une autorité trop marquée aussi bien du côté de l'homme que de celui de la femme est toujours pour l'autre, source de souffrances, d'humiliations ou de rabaissements, injustifiables dans la plupart des cas. Dans le couple, homme et femme sont à parts égales, surtout dans la mesure où l'un et l'autre veulent bien se considérer comme tels.

Au sein d'une famille, la femme a un rôle spécifique que la plupart d'entre elles considèrent comme un privilège. C'est la femme qui porte les enfants en elle pendant neuf mois, avant de les mettre au monde. Il y a entre elle et ses enfants un lien physique indiscutable qui se prolongera dans la suite de la vie. À ce titre, elle leur donne le meilleur d'elle-même, de la tendresse, de l'attention et des soins. Elle est l'âme de sa famille. Cependant, c'est à ce niveau que jouent l'intelligence et le cœur de son entourage. Une attention constante à son mari et à ses enfants par amour, ne doit pas être confondue avec une domesticité permanente unilatérale. C'est pourtant ce qui arrive souvent et c'est toujours dans ce contexte que naissent les découragements, les révoltes et les revendications.

La femme a droit dans la société du XXIᵉ siècle à une part égale à celle de l'homme. Un travail professionnel identique doit nécessairement être reconnu par un salaire identique, ce qui n'est pas toujours le cas. S'il est rare qu'une femme puisse assumer un poste de haut niveau tout en élevant une famille, un grand nombre de femmes cependant assurent dans la vie professionnelle des responsabilités moyennes qui leur demandent une organisation rigoureuse, la plupart du temps « acrobatique », pour pouvoir tout mener de front dans des conditions satisfaisantes.

La parité, tant souhaitée par certains, ne semble pas forcément la réponse idéale à un problème qui se pose depuis tant de générations. Il ne s'agit pas, dans la vie sociale et la vie politique, de pouvoir compter un nombre exactement semblable d'hommes et de femmes sur les bancs de l'Assemblée nationale ou dans les conseils municipaux. Ce qui importe c'est que chacun soit bien à sa place, que chacun soit compétent dans ses responsabilités et soit capable de les assumer afin qu'il n'y ait pas une « guerre » permanente entre les sexes. Cela dépend du bon sens, du respect de l'autre et de la bonne volonté de chacun.

* * *

Compréhension du texte

1. Le problème de la place de la femme dans la société se pose-t-il depuis longtemps?

2. Quels sont les trois domaines dans lesquels la place de la femme doit surtout se définir?

3. Donnez la raison invoquée dans le texte comme un motif majeur de déséquilibre dans un couple.

4. Quelles sont les conséquences, dans un couple, de la domination de l'un ou de l'autre?

5. Quel est le privilège de la femme dans un couple?

6. Que veut dire l'expression: « elle est l'âme de la famille »?

7. Pourquoi les femmes qui élèvent une famille ont-elles de la peine à assurer une vie professionnelle à fortes responsabilités?

8. À quelle condition une mère de famille peut-elle assumer une profession?

9. Qu'appelle-t-on la parité?

10. Quelles sont les conditions essentielles pour qu'il n'y ait pas sans arrêt une guerre entre les sexes?

Sensibilisation grammaticale

1. « Avant de » + infinitif

Dans le texte, nous relevons la phrase : ... **avant de** les mettre au monde.

Sur ce modèle complétez à votre choix les phrases suivantes :

La femme a longtemps cherché sa place dans la société avant de ....

Une mère de famille doit bien s'organiser avant de ....

Homme et femme doivent réfléchir ensemble avant de ....

On doit bien définir la place de chacun dans la société avant de ....

2. Une expression simple de la restriction : « dans la mesure où » + l'indicatif

Dans le texte nous relevons la phrase : ... **dans la mesure où** l'un et l'autre veulent bien...

Ce qui implique une restriction, un retrait conditionnel par rapport à l'affirmation précédente.

Sur ce modèle complétez à votre choix les phrases suivantes.

Une femme peut assurer une vie professionnelle dans la mesure où ....

Un homme peut accepter pendant un temps de voir sa femme se consacrer entièrement à ses enfants dans la mesure où ....

Un couple est équilibré dans la mesure où ....

Une société est bien organisée dans la mesure où ....

3. Expression de la condition + l'opposition : « si » + verbe impersonnel + « en revanche »

Dans le texte nous relevons la phrase : **S'il est rare qu'**une femme puisse assurer un poste de haut niveau, **en revanche**...

Sur ce même modèle, complétez les phrases suivantes.

S'il est .... au XXIe siècle de considérer l'homme et la femme à part égale dans la société, en revanche ....

S'il est .... que la femme a un rôle privilégié, en revanche ....

S'il est .... de souhaiter la parité, en revanche ....

S'il est .... dans un couple que l'un ou l'autre domine, en revanche ....

Enrichissement lexical

a) Qu'est-ce qu'un critère ? une spécificité ? l'entourage ?

b) Que signifie le verbe assumer ? Employez-le dans une autre phrase de votre choix.

c) Donner un synonyme de l'adverbe forcément ?

d) Expliquez les expressions : à part entière, au sein de, à ce titre.

e) Donnez un exemple de poste à responsabilités de haut niveau ? à responsabilités moyennes ?

f) Que signifie : *une organisation acrobatique* ?

Proposition de dictée

S'il est vrai que théoriquement hommes et femmes ont une place égale dans la société, cela n'est pas encore tout à fait exact dans le monde actuel. En réalité leurs tâches devraient être complémentaires, car chacun est riche de sa spécificité due à son identité, ils ont chacun un rôle à jouer. Lorsqu'ils assurent la même fonction dans la vie professionnelle il serait tout à fait normal qu'ils aient exactement le même salaire. Ce qui n'est pas forcément le cas le plus répandu.

La femme peut être l'âme de la famille si son entourage sait valoriser cette fonction. Au sein d'une famille, la femme a un rôle spécifique que la plupart d'entre elles considèrent comme un privilège. Avant de se lancer dans des considérations générales sur la place de la femme dans la vie, il faut examiner les critères de chacun et ses possibilités de compétence.

Application

Travail oral

Exposés

– Ma conception du rôle de la femme dans la société.

– Ma conception du rôle de la femme dans la famille.

– Ma conception du rôle de la femme dans la vie politique.

Débat (préparation 15 minutes)

Que faut-il penser de la parité ?

Groupe A : est pour la parité.

Groupe B : soutient que cette proportion égalitaire ne correspond ni à un besoin ni à une attente ni à la réalité.

Groupe C. Relève les arguments de chaque groupe et tire les conclusions du débat.

Travail écrit

Essai

Comment voyez-vous la place d'une femme dans un couple ?

Résumé

Remarquez dans le premier paragraphe comment se présente l'annonce de plan du texte.

Relevez les idées principales contenues dans chaque paragraphe.

En utilisant toutes ces idées écrivez un texte de cent mots.

TEXTE 38
LE CINÉMA

Objectifs grammaticaux

Deux expressions de la restriction

Objectifs lexicaux

Le vocabulaire du cinéma

* * *

« Alors, êtes-vous allés au cinéma ces derniers temps ? Quel est le dernier film que vous avez vu ? » Le bouche-à-oreille fonctionne toujours, si bien qu'un bon film est rapidement pris d'assaut par les passionnés du septième art. Le cinéma fait partie de nos loisirs préférés car bien sûr nous sommes toujours à l'affût d'un bon divertissement. Il nous permet de nous évader, d'être transporté pendant deux heures dans un autre univers où notre imagination participe à des événements auxquels nous pouvons nous identifier. C'est pourquoi ils nous atteignent. Les barrières du temps et de l'espace s'effacent pour nous plonger dans un cadre qui, ou bien nous sort de notre environnement habituel ou au contraire nous procure du plaisir car nous le retrouvons. Il est évident que si un film est tourné dans une ville que nous aimons ou dans notre village préféré, nous avons du plaisir à le voir avec un autre regard, sur grand écran, entouré de tout le mystère d'une salle obscure.

Selon une enquête menée pour le compte de la commission européenne, le cinéma demeure l'activité culturelle favorite des Européens. Ce loisir se place devant la fréquentation des bibliothèques et la visite des monuments historiques.

Qu'en est-il particulièrement pour la France ? D'abord, les Français aiment le cinéma. Le nombre d'entrées dans les salles depuis quelques années est croissant. Le profil des spectateurs s'est diversifié. On peut enregistrer aujourd'hui, outre le public des jeunes en milieu urbain, un public d'adultes de plus de 35 ans qui constituent 45 % des acheteurs de billets d'entrée. La modernisation des salles et la construction de multiplexes[1] offrant d'intéressants systèmes d'abonnements a amplifié également la fréquentation des salles et a favorisé la régularité des habitués.

---

1. Cinéma avec de multiples salles.

Cependant le cinéma existe avant tout grâce à l'engagement des professionnels. Une nouvelle génération de cinéastes est apparue ces dernières années aidée par une profession offensive, qui n'hésite pas à reprendre les techniques américaines : campagnes de publicité soutenue, lancement important des films dans un très grand nombre de salles le même jour, vedettariat des artistes poussé à l'extrême, publicité dans la presse écrite et orale…

Les productions françaises se caractérisent aujourd'hui par une grande diversité et par l'originalité des sujets. Il y a à la fois des films « grand public », notamment des comédies. On a vu ces dernières années le succès de *Les Visiteurs* de Jean-Marie Poiré. Sorti pour la première fois sur les écrans en 1993 il reste l'apogée de ce genre. Ce film avec 14 millions d'entrées fut et demeure un immense succès populaire et financier, toujours assuré de faire salle comble dès sa mise à l'affiche. Pourtant le marché du cinéma aujourd'hui se porte également sur des films plus difficiles et exigeants qui marchent très bien.

Comme tout art, le cinéma c'est d'abord l'affaire des jeunes car ils représentent un public qui sort beaucoup. Cependant, même si le cinéma demeure bien leur loisir préféré, ils restent souvent hermétiques à certains films projetés dans les salles dites « d'art et d'essai » dont la dimension artistique ne les atteint pas forcément. Il faut bien constater à notre époque que la violence fait plus d'adeptes que les films sentimentaux… encore que l'immense succès de *Titanic* ou de *Le Fabuleux Destin d'Amélie Poulain* puisse le démentir. Étant donné que le public de demain, c'est bien la jeunesse d'aujourd'hui, beaucoup de réalisateurs tiennent compte avant tout de leurs goûts et des valeurs auxquelles ils aspirent, pour s'assurer d'un bon succès commercial.

Cependant, d'autres cinéastes ont des ambitions plus hautes. Ils veulent que le « septième art » soit pour les jeunes une porte d'accès à des valeurs esthétiques et à certaines formes de culture. Aussi de plus en plus aujourd'hui, le monde de l'art va à la rencontre du jeune public pour le sensibiliser dès son plus jeune âge à la valeur d'un film. Une collaboration étroite s'est ainsi instaurée entre les acteurs culturels et les milieux éducatifs. Depuis les grandes sections de maternelles jusqu'aux classes de terminales, des actions sont maintenant menées dans de nombreux établissements scolaires afin de donner aux jeunes les bases d'une culture cinématographique. François Lepage, très impliqué dans ces initiatives nous dit : « La sensibilisation au 7e art passe avant tout par la qualité. Nous devons apporter aux jeunes tous les éléments répondant aux normes professionnelles, c'est-à-dire projection sur grand écran, qualité de son irréprochable, œuvres intéressantes, beauté des images, scénario bien construit car en réalité un film est toujours porteur d'un message. Nous proposons des films de tous genres, pays et époques, documentaires et fictions, dessins animés… à moins que nous présentions un long métrage qui sera l'objet d'un débat dans la classe. Le cinéma n'est pas qu'images ou message à décrypter, il est avant tout aussi une forme d'expression artistique faisant appel à la sensibilité et au plaisir. Notre ambition est de sensibiliser les jeunes à ces notions. »

Si le cinéma hexagonal se trouve aujourd'hui dans un contexte particulièrement favorable, c'est bien grâce à de multiples talents, tous professionnels de cet art, qui ont su nous séduire, nous faire rire, nous faire pleurer, nous charmer, nous émouvoir depuis bientôt plus d'un siècle.

* * *

Compréhension du texte

1. Par quel moyen facile se fait la publicité pour un bon film ?

2. Pourquoi en général aime-t-on le cinéma ?

3. Quelle est la deuxième activité culturelle des Français ?

4. Les générations nouvelles vont-elles plus ou moins au cinéma qu'auparavant ?

5. Quelles sont les facilités qui nous amènent à aller plus souvent au cinéma ?

6. Quels sont les moyens mis en œuvre pour le lancement d'un film ?

7. Combien d'entrées ont-elles été comptabilisées pour le film *Les Visiteurs* ?

8. Quels sont les films aimés par les jeunes ?

9. Quelles sont les actions entreprises par certains cinéastes pour former les jeunes à la valeur artistique du cinéma ?

10. Quelles sont les qualités d'un grand film ?

Sensibilisation grammaticale

1. Une expression de la restriction : « encore que »

Dans le texte on relève la phrase suivante : Les films de violence ont du succès **encore que** le succès de *Titanic* ou de *Le Fabuleux Destin d'Amélie Poulain*…

Encore que marque ici une restriction à ce qui vient d'être énoncé ; on veut montrer que ce n'est pas une vérité absolue, qu'il y a des exceptions.

Sur ce même modèle construisez trois phrases de votre choix.

Il aime beaucoup les films policiers, encore que ....

Les jeunes fréquentent beaucoup les salles de cinéma encore que ....

Il n'est pas sensible aux films à visée esthétique encore que ....

2. Une autre expression de la restriction : « à moins que »

Dans le texte on relève la phrase : … **à moins que** nous présentions un long métrage…

À moins que marque ici une sorte de réserve.

Sur ce même modèle construisez trois phrases de votre choix.

J'irai au cinéma demain à moins que ....

Je vais toujours voir des films policiers à moins que ....

La jeunesse d'aujourd'hui aime les films violents à moins que ....

Enrichissement lexical

a) Un certain nombre de mots font partie du vocabulaire du cinéma. Si vous ne les connaissez pas, mémorisez-les puis expliquez leur sens : un grand écran, les salles obscures, le septième art, le profil des spectateurs, un multiplexe, vedettariat, les films grand public, les films d'art et d'essai, un documentaire, un dessin animé, un film de fiction, un film d'esthète, la sortie d'un film, un nombre d'entrées, un long métrage, un court métrage, une mise à l'affiche.

b) Que signifient les expressions : le bouche-à-oreille ? l'apogée d'un succès cinématographique ? faire salle comble ?

Application

Travail oral

Exposés (15 minutes de préparation)
– Qu'attendez-vous d'un film ?
– Qu'est-ce qu'un bon film pour vous ?

Débat

Le cinéma doit-il être porteur d'un message ou d'une philosophie ?

Travail écrit

Création d'un document

Vous avez visionné un film qui vous a beaucoup plu. On vous charge de rédiger un petit article publicitaire pour un magazine grand public (20 lignes).

Essai

La valeur éducative du cinéma.

Résumé

Relevez les idées principales du texte puis rédigez un résumé en une centaine de mots.

Texte 39

La bouteille à moitié vide ou à moitié pleine ?

Sensibilisation grammaticale

Le gérondif
Les verbes de sentiments
Le langage parlé

Enrichissement lexical

Différentes manières d'exprimer des propos positifs ou négatifs dans le langage parlé
Les « béquilles » du langage parlé

* * *

Tout le monde connaît cette histoire : deux amis sont attablés dans un bistro. Ils ont devant eux une bouteille de vin dont une moitié a déjà été bue. Le premier dit : « Quelle chance ! Elle est encore à moitié pleine. » Et il se réjouit. Il est positif. Le second lui répond : « Quel dommage ! Elle est déjà à moitié vide. » Et il le déplore. Il est négatif.

Il est facile de transposer le jugement de ces deux amis. Le regard que nous portons sur les événements de la vie est le même que celui porté par nos deux amis sur leur bouteille. Dans toute situation que nous vivons, quelle qu'elle soit, il est possible d'avoir deux regards différents : le positif et le négatif. Ceci classe finalement les gens en deux catégories : les heureux et les malheureux, les optimistes et les pessimistes, ceux qu'on recherche et ceux qu'on fuit.

Prenons un exemple concret à l'aide d'un événement banal de la vie de tous les jours.

Aujourd'hui il neige. C'est une situation souvent imprévue qui entraîne des perturbations indiscutables dans la vie quotidienne. J'ai noté en vrac plusieurs réflexions entendues ce matin en attendant mon tour à la boulangerie :

– Qu'est ce que c'est beau de voir cette belle neige toute blanche par terre ! Ce matin en ouvrant mes volets, j'ai cru voir un paysage féerique. J'étais enthousiasmé. Quelle beauté !

– Ah, il ne manquait plus que ça ! Regardez ces embouteillages ! Les voitures patinent, personne ne peut plus avancer, les gens glissent ; gare ! Vous allez voir ce soir toutes ces jambes cassées dans les hôpitaux ! Bon courage ! Quand c'est comme ça, je sors de chez moi, le moins possible !

– Les enfants vont pouvoir fabriquer des bonhommes de neige aujourd'hui. Je vais les emmener au parc. Ils vont être ravis… et moi aussi car cela me fait plaisir de les voir si heureux dans la neige.

– Cela m'a fait plaisir de regarder tomber les flocons de neige ce matin, vous ne pouvez pas vous imaginer. C'était magnifique ; j'étais fasciné.

– Avec ça, on a les pieds tout pleins de neige. Les maisons sont sales tout de suite. On va passer la journée avec la serpillière à la main pour nettoyer toutes ces saletés qui viennent chaque fois qu'il neige.

– Si ça continue comme ça, les prix vont encore augmenter. Surtout les fruits et les légumes, comme chaque fois qu'il neige. Toutes les raisons sont bonnes, vous savez !

– Qu'est-ce que c'est triste de voir tout en noir et blanc. La neige ? On dirait que c'est la mort ! Tout est immobile et paralysé ! Et puis ce silence surtout ! J'ai horreur de ça. Vivement qu'on en finisse.

– Vous croyez que le chasse-neige passerait ? Mais non, la municipalité s'en fiche pas mal. Avant qu'ils aient mis tous les services en mouvement, la neige a le temps de fondre dix fois ! On va nous laisser patauger toute la journée comme ça.

– Moi, voyez-vous, ça me rappelle ma jeunesse ! On faisait de la luge dans les rues dès qu'elles étaient un peu en pente. À cette époque il n'y avait pas de voitures comme maintenant ! Alors la rue était à nous. On attendait la neige avec impatience, vous ne pouvez pas vous imaginer ! À cause de cela je me réjouis toujours de l'arrivée de la neige. Je l'attends comme un gosse.

Jugements positifs, jugements négatifs, regards heureux ou regards désabusés, tout se mêle dans notre société sur un même événement. Cependant, je crois que tout le monde est bien d'accord pour dire que chacun de nous veut vivre heureux. Ce n'est pas une espérance, c'est une nécessité. Pour cela il y a une seule méthode : voir toujours le côté positif des événements de la vie quotidienne. On prend vite l'habitude de se plaindre de tout, de tout critiquer. On devient vite un « râleur ». Cela crée intérieurement une disposition de l'esprit particulière pour s'enfoncer dans le désabusement, la morosité, le mépris. Comme c'est très éprouvant pour les autres d'entendre proférer sans cesse des propos négatifs, les amis s'éloignent et n'ont aucune envie d'écouter vos doléances à chaque rencontre. Alors il n'y a pas de choix. Si nous voulons avoir au fond de nous une vraie joie de vivre et la communiquer à notre entourage, soyons positifs, voyons le bon côté des événements de la vie. Nous serons gagnants sur tous les tableaux.

* * *

Compréhension du texte

1. Connaissiez-vous l'histoire de la bouteille vide et de la bouteille pleine?

2. Racontez-la en entier.

3. Quels sont les regards que l'on peut porter sur les événements de la vie?

4. Est-ce que ces regards permettent de classer les gens?

5. Quel est l'exemple choisi dans le texte pour illustrer la diversité des regards?

6. Dans quel cadre ont-ils été recueillis?

7. Quels sont les arguments des optimistes? Essayez de les redire sans regarder le texte.

8. Quels sont les arguments des « râleurs ». Essayez de les redire sans regarder le texte.

9. Comment devient-on un râleur?

10. La recette pour avoir une vraie joie de vivre?

Sensibilisation grammaticale

1. Le gérondif

Dans le texte on relève: ... **en attendant** mon tour à la boulangerie.

Sur le même modèle construisez des phrases à l'aide des éléments suivants à mettre au gérondif.

(Se promener) En se promenant, il ....

(Écouter la radio) En ....

(Danser) En ....

(Monter en voiture) En ....

2. Les verbes qui expriment des sentiments

On relève dans le texte des verbes qui expriment des sentiments:

Il se réjouit. Il le déplore. J'étais enthousiasmé. Les enfants vont être ravis. Cela me fait plaisir de les voir. J'étais fasciné. C'est triste de voir tout en noir et blanc. J'ai horreur de ça. Vivement qu'on en finisse. Je me réjouis toujours de l'arrivée de la neige. C'est très éprouvant de...

a) Faites deux colonnes avec les termes:
  – qui expriment des sentiments positifs,
  – qui expriment des sentiments négatifs.

b) Utilisez-en quelques-uns dans des phrases de votre choix.

3. Du style direct au style indirect

Écrivez au style indirect les réflexions entendues à la boulangerie.

Un client de la boulangerie a dit que ....

Enrichissement lexical

a) Que signifie : être attablé ? en vrac ? féerique ? un embouteillage ? les voitures patinent ? gare !? une serpillière ? patauger ? proférer des propos ? le désabusement ? la morosité ?

b) Les béquilles du langage parlé

Il est fréquent lorsqu'on parle d'appuyer ce que l'on dit par de petites expressions très courantes en français. Ce sont d'ailleurs plus des habitudes de langage que des réalités grammaticales : voyez-vous, vous savez.

Retrouvez-les dans le texte.

c) Des expressions du langage parlé

Utilisez les expressions suivantes en les mettant dans un contexte de votre choix.

    – Quelle chance !
    – Quel dommage !
    – Ah ! Il ne manquait plus que cela !
    – Gare !
    – Bon courage ! (souvent deux sens : encouragement mais aussi souvent ironie).
    – Vivement qu'on en finisse !
    – Être gagnant sur tous les tableaux.

Proposition de dictée

Nous avons tous entendu parler de l'histoire de la bouteille à moitié pleine et de la bouteille à moitié vide. Elle est amusante mais elle nous montre que sur le même événement des regards différents peuvent être portés. Ce sont ces façons opposées de concevoir la vie qui déterminent notre caractère. On peut très facilement devenir un râleur si l'on n'y fait pas attention. Cela fait en général fuir les amis qui n'aiment pas entendre proférer sans cesse des plaintes et des propos négatifs. Essayer de voir toujours le côté positif des événements de la vie rend certainement plus heureux que de porter sur tout des jugements pessimistes.

Ou bien : donner en dictée le dernier paragraphe du texte.

Application

Travail oral

Exposés

Prenez quatre événements de la vie quotidienne et portez sur eux d'abord un jugement négatif ensuite un jugement positif. (Suggestions : la météo du jour, une panne d'électricité, une grève de transports en commun ou une coupure d'eau). Bien d'autres sujets peuvent être abordés.

Débat

Est-ce que notre façon de concevoir les événements de la vie joue un rôle dans notre insertion dans la vie sociale ?

Groupe A : pense que non et donne des exemples.

Groupe B : pense que oui et donne des exemples.

Groupe C : tire les conclusions du débat.

Travail écrit

Rédaction

– Vous écrivez un petit conte pour enfants afin d'illustrer l'idée que le regard que l'on porte sur la vie forme notre caractère et par conséquent notre comportement.

– Vous êtes en vacances dans un village de montagne où il pleut depuis quatre jours. Vous écrivez une lettre à vos parents pour exprimer vos sentiments.

Résumé

Écrivez un texte de cent mots pour résumer ce texte.

Texte 40

La langue française est-elle en péril ?

Objectifs grammaticaux

Des procédés d'argumentation

Objectifs lexicaux

La langue
Les niveaux de langage

* * *

Le fonctionnement de la langue française est complexe. D'une part des combinaisons de verbes à tous les modes et les temps, des ressources grammaticales considérables permettent de multiplier énormément les possibilités d'expression. D'autre part l'extrême diversité du vocabulaire, sa précision et sa richesse autorisent une liberté presque infinie pour traduire des sentiments ou les jugements les plus subtils. Si enrichir son vocabulaire et ses moyens d'expression représente déjà une très belle démarche de l'esprit, combien il est enthousiasmant de pouvoir puiser, même à l'aide d'un temps de réflexion, dans cette richesse amassée jour après jour au fond de la mémoire, pour trouver le mot juste, la phrase qui sera agréable à lire ou à dire.

Or on constate que la langue française s'appauvrit. Les structures grammaticales classiques s'effacent au profit de formules plus banales et plus brèves. Les possibilités lexicales des jeunes se transforment par une sorte d'internationalité des langues où personne ne sait plus bien d'où viennent certaines expressions. Les mots propres aux sciences, à l'informatique, à la bureautique, etc. sont complètement internationalisés et conviennent bien à la brièveté des messages de notre époque.

L'argot, le verlan[1], des sabirs[2] variés, des jargons[3] nouveaux ont envahi notre langue et y sont restés.

Depuis quelques années avec l'arrivée du téléphone portable, l'apparition des « textos » permet aux jeunes de communiquer énormément d'une manière nouvelle, n'utilisant plus que les lettres qui fournissent des sons et traduisent cependant un vrai message sans appel à la grammaire ni à l'expression. C'est ainsi que la fille qui reçoit un message libellé ainsi : « Gtm[4] » aura autant de bonheur que sa grand-mère qui recevait une longue lettre d'amour bien composée, avec des mots choisis et longuement pensés. La seule différence est que la grand-mère gardait comme un trésor ses lettres d'amour qu'elle relisait toute sa vie avec émotion alors que le « texto » s'efface sitôt lu pour faire place à un autre qui s'écrira : « G 1 Fr[5] ». Les combinaisons sont immenses et stimulent l'imagination des utilisateurs. Jusqu'où peut-on aller dans l'appauvrissement de la langue ?

Face à cette constatation que l'on ne peut que déplorer, on se rappelle avec bonheur la chanson qu'il y a quelques années chantait Yves Duteil en évoquant au Canada « la langue de chez nous » :

> « C'est une langue belle avec des mots superbes
> Qui porte son histoire à travers ses accents...
>
> ...Dans cette langue belle aux couleurs de Provence
> Où la saveur des choses est déjà dans les mots
> C'est d'abord en parlant que la fête commence
> Et l'on boit des paroles aussi bien que de l'eau... »

Oui, la beauté de la langue française est bien dans sa richesse, sa diversité et la saveur de ses mots. Pour l'apprendre il faut du travail et de la persévérance mais le jour où on la saisit, ne serait-ce que partiellement, alors oui, la fête commence et les messages circulent :

> « C'est une langue belle à qui sait la défendre
> Elle offre des trésors de richesses infinies
> Les mots qui nous manquaient pour pouvoir nous comprendre
> Et la force qu'il faut pour vivre en harmonie. »

* * *

---

1. Argot qui consiste à inverser les syllabes de certains mots. Par exemple : « laisse béton » signifie « laisse tomber ».

2. Langage populaire qui consiste à mélanger l'arabe, l'italien, l'espagnol, le français qui était parlé en Afrique du Nord.

3. Un langage déformé que seuls les initiés peuvent comprendre.

4. Si on lit à haute voix, cela donne : « Je t'aime ».

5. J'ai un frère.

Compréhension du texte

1. Quels sont les éléments de la langue française qui permettent un nombre immense de possibilités d'expression?

2. Citez une démarche de l'esprit qui permet de trouver le mot juste.

3. Quelles sont les trois raisons évoquées pour justifier l'appauvrissement de la langue?

4. Citez les noms des langues parallèles qui ont envahi la langue française.

5. En quoi les téléphones portables peuvent-ils appauvrir la langue?

6. Sur quel élément se base le langage du texto?

7. Quelle est la différence entre une lettre d'amour d'autrefois et un message de maintenant?

8. Que signifie la phrase: « Où la saveur des choses est déjà dans les mots »?

9. De quelle fête s'agit-il?

10. D'après Yves Duteil, quelle est la mission la plus humaine de la langue française?

Sensibilisation grammaticale

1. Un procédé de l'argumentation: l'alternative « d'une part... d'autre part... »

Remarquez ce passage dans le texte. Utilisez le procédé pour exprimer deux idées qui se complètent.

– Votre avis sur les conditions dans lesquelles vous avez appris le Français.
D'une part ...., d'autre part ....

– Votre avis sur les objectifs des apprenants dans une classe de FLE.
D'une part ...., d'autre part ....

2. Un autre procédé de l'argumentation: l'emploi de « alors que » pour marquer l'opposition

Sur le modèle de cette phrase relevée dans le texte, reformulez une ou plusieurs phrases avec la même construction: **La seule différence est que** la grand-mère gardait comme un trésor ses lettres d'amour, **alors que** le texto s'efface...

À propos de l'enseignement du FLE en France et à l'étranger:
La seule différence est que .... alors que ....

À propos du travail d'un exercice et de celui d'un texte: avec un vocabulaire semblable:
La seule différence est que .... alors que ....

Enrichissement lexical

Que signifie :
- puiser (sens propre) ; puis : puiser dans sa mémoire ?
- les possibilités lexicales de quelqu'un ?
- un message libellé ainsi. Que signifie ici le mot libellé ? Trouver un synonyme.

Citer trois mots d'argot que vous connaissez.

Que signifie la phrase : C'est une langue belle à qui sait la défendre ?

Proposition de dictée

La langue française approfondie est complexe, immense dans ses possibilités lexicales qui permettent toujours de trouver le mot juste pour exprimer les pensées les plus subtiles. Cependant de nombreuses raisons appauvrissent la langue d'aujourd'hui. Jusqu'où ira-t-on ? Et pourtant « c'est une langue belle à qui sait la défendre », chante Yves Duteil, une langue qui a porté la pensée et la culture française sur tous les continents, une langue un peu complexe à étudier, mais une langue claire qui véhicule toutes les finesses de l'esprit et du cœur.

Application

Un débat sur la langue française

- Ceux qui pensent qu'elle doit changer car il faut vivre avec son temps.

- Ceux qui pensent que sa beauté et sa complexité doivent demeurer.

- Ceux qui pensent qu'on peut la pratiquer bien et par conséquent l'apprendre soigneusement.

- Ceux qui pensent qu'il suffit de savoir acheter sa nourriture et demander son chemin dans la rue.

Pour apprendre à écrire des lettres utiles

5 modèles

Lettre 1

Lettre de candidature en réponse à une annonce

Paris, le 23 janvier 2003

Martine Feydier
4, rue Émile Trolliet
75006 Paris
Tél.: 01 45 71 19 28

Monsieur le Chef du personnel
Entreprise Vanessa
35, rue des Académies
75009 Paris

Objet: réponse à votre annonce du 20 janvier 2003

Monsieur le Chef du Personnel[1],

J'ai lu dans le Figaro du 22 janvier votre annonce proposant un poste de secrétaire commerciale chargée de l'accueil et de la correspondance clients. Je serais tout à fait intéressée par votre proposition.

Je souhaiterais beaucoup en effet travailler dans la partie commerciale d'une entreprise comme la vôtre. J'ai déjà une expérience des relations avec la clientèle avec qui j'ai toujours entretenu de très bons contacts. Je crois que ce type de travail correspond tout à fait à mes aspirations et à ma personnalité.

Je me permets de joindre un CV à ma lettre.

---

1. Pour une grande entreprise: Monsieur le Directeur du Personnel, ou Monsieur le Directeur des Relations Humaines (DRH).
Pour une petite ou moyenne entreprise (PME): Monsieur le Directeur.
Pour les autres circonstances: Monsieur.

Je serais heureuse que vous puissiez me fixer un rendez-vous pour un entretien éventuel. Je suis à votre disposition.

En attendant votre réponse, veuillez agréer, Monsieur le chef du Personnel, l'assurance de mes sentiments distingués.

Martine Feydier

* * *

Compréhension du texte

1. Pourquoi Martine Feydier écrit-elle cette lettre?
2. Est-elle débutante?
3. Pour quel poste pose-t-elle une candidature?
4. À qui s'adresse-t-elle?
5. Comment a-t-elle eu connaissance de cette annonce?

Sensibilisation grammaticale

1. L'utilisation du conditionnel

Il est impoli en français de dire Je veux. Cela semble trop autoritaire. Il est mieux de dire Je voudrais car on sous-entend la condition : si vous le voulez bien.

a) Relevez les conditionnels du texte.

b) Quelle différence voyez-vous entre ces phrases?
  – Je souhaite et je souhaiterais.
  – Je veux et je voudrais.
  – Je serais heureux et je voudrais.
  – Je suis intéréssé et je serais intéréssé.

c) Conjuguez au conditionnel les verbes être, avoir, souhaiter, vouloir, désirer.

2. Le subjonctif après les verbes de sentiment

Dans la lettre, vous trouvez cette phrase: Je serais heureuse (verbe qui exprime un sentiment) que vous puissiez (verbe au subjonctif) me fixer un rendez-vous.

Sachant que les verbes de sentiment sont toujours suivis du subjonctif, mettez au temps voulu les phrases suivantes.

  – Il est satisfait que sa lettre (être partie) hier soir.

  – Tu serais content que je (être embauché)?

– Nous sommes désolés que tu (ne pas avoir répondu) plus tôt à cette annonce.

– Il serait désireux que son fils (avoir) un rendez-vous pour un entretien.

– Je suis déçu que votre candidature (ne pas être) retenue.

Enrichissement lexical

a) Relevez dans le texte tous les mots relatifs au monde du travail. Cherchez leur sens exact et employez-les dans des phrases de votre choix.

b) Répondez aux questions suivantes :

Qu'est-ce qu'une débutante ? une personne expérimentée ? un entretien ? une candidature spontanée ? un demandeur d'emploi ? un CDD ?

Qu'est-ce qu'un expéditeur ? un destinataire ? une formule de politesse ? une lettre recommandée avec accusé de réception ?

Conseils pratiques

Lorsque vous écrivez une lettre administrative, la présentation doit être rigoureuse.

À gauche

Votre nom, prénom et adresse.

En dessous à gauche : objet de votre lettre

Si vous en avez un, le numéro de référence.

À droite

La date sans majuscule au nom du mois, soit tout à fait en haut de la lettre soit sous le nom du correspondant.

Nom et titre de votre correspondant

Il est recommandé de préciser : « A l'attention de… » si vous écrivez à une personne ou à un service avec qui vous avez déjà été en contact.

Formules finales

Il peut y avoir des variantes mais les formules les plus employées en France sont :

Je vous prie d'agréer, Monsieur (le Directeur, ou autre titre), l'assurance de mes sentiments distingués. ou l'expression de mes sentiments distingués.

Veuillez croire, Monsieur le Directeur ....

Veuillez agréer ....

Dans l'attente d'une réponse favorable, je vous prie d'agréer ....

Application

Vous répondez à l'annonce suivante que vous avez lue dans un journal.

Société Chateaudun spécialisée dans le matériel médical recherche jeune cadre dynamique motivé. Connaissance de l'anglais obligatoire. Nombreux déplacements. Poste à responsabilités. Possibilités d'extension.

Envoyer lettre manuscrite et CV à l'adresse suivante.

Ste Chateaudun
8 bis rue de la Caronnerie
Sainte Foy les Lyon. 69100.

Lettre 2

Lettre de réclamation

Objectifs grammaticaux

Des conjonctions pour exprimer la cause et la conséquence
Temps passés et présent

Enrichissement lexical

Vocabulaire administratif

Marseille, le 18 février 2003

Ferdinand Arbati
20 ter, rue des Glycines
13800 Marseille

À l'attention du service clientèle
Société du Câble M.T.D.

Objet : Votre facturation

Monsieur,

Mon contrat A 3822 en date du 12/11/2002 prévoyait la facturation de votre prestation à 15 euros par mois pendant un an à partir de la date de la signature du contrat. Or, trois mois après la date prévue, j'ai constaté que vous aviez augmenté unilatéralement votre redevance à 19 euros par mois.

Je vous ai déjà signifié mon désaccord par deux lettres recommandées avec A.R. en date du 2 janvier 2003 et du 20 janvier 2003. Celles-ci sont restées sans réponse de votre part. Je vous informe donc que je demande à ma banque de faire opposition à tout prélèvement vous concernant.

Veuillez agréer, Monsieur, l'assurance de mes sentiments distingués.

Ferdinand Arbati

Compréhension du texte

1. Quel est le sujet de la réclamation

2. Qui est l'expéditeur de la lettre ?

3. Qui est le destinataire ?

4. L'expéditeur a-t-il déjà fait des réclamations ?

5. Par quel moyen ?

6. Sa réclamation a-t-elle été entendue ?

7. Qu'est-ce qui le prouve ?

8. Quel moyen va employer le plaignant pour obtenir satisfaction ?

Construction d'une lettre de réclamation

1. Préciser nettement le destinataire à l'aide de la formule : à l'attention de… et le nom du service.

2. Il faut au minimum trois parties bien distinctes.

3. Le rappel de ce qui avait été prévu. On utilise en général un temps du passé.

Nous avions décidé d'un commun accord…

Vous aviez dit que…

Nous nous étions mis d'accord sur…

Il avait été convenu entre nous que…

Mon contrat stipulait que…

Il est écrit dans mon contrat que, etc.

4. L'objet de la réclamation. Phrases courtes et précises.

5. La solution proposée.

Enrichissement lexical

a) Quelle est la différence entre une décision unilatérale et une décision prise d'un commun accord ?

b) Écrivez afin de les mémoriser les verbes suivants.

– Les verbes qui marquent l'engagement

Nous avions prévu que…

Nous avions décidé que…

Nous pensions que…

Vous vous étiez engagé à…

Il avait été noté que…

– Les verbes qui marquent une décision

J'estime que…

Je pense que….

Je propose que…

Je décide de…

Application

Vous aviez un contrat de travail (CDD) de six mois avec une entreprise. Or, au bout de trois mois, vous recevez une lettre recommandée avec A.R. vous signifiant que votre contrat est rompu unilatéralement. Vous écrivez une lettre de réclamation en trois parties bien distinctes en utilisant les conjonctions or et donc.

Lettre 3

Lettre de réservation

Ecully, le 19 novembre 2003

Joseph Cerruti
5 bis, allée des Oiseaux
69130 Ecully

Agence immobilière des Collines
À l'attention du service location
10, avenue Pasteur
69130 Ecully

Monsieur,

Après avoir lu dans votre catalogue 2003 le descriptif des appartements que vous proposez à la location pour le mois de juillet sur la Côte d'Azur, je vous informe que je serais désireux de louer l'appartement 3240 de 4 pièces à Antibes. Je suis d'accord sur les prix. Les dates qui me conviendraient seraient du 15 au 30 juillet.

Pouvez-vous me répondre par retour du courrier pour me dire si cet appartement est encore disponible à ces dates? Dès réception de votre lettre, je vous enverrai immédiatement un premier chèque pour les arrhes avec le montant que vous voudrez bien m'indiquer.

Veuillez agréer, Monsieur, l'expression de mes sentiments distingués.

Joseph Cerruti

* * *

Compréhension du texte

1. Quel est l'objet de la lettre?
2. Qui est l'expéditeur?
3. Qui est le destinataire?
4. Se connaissent-ils?

5. Comment l'expéditeur a-t-il eu connaissance de l'existence de cet appartement de location pour les vacances?

6. L'a-t-il déjà visité? Pour quelle raison?

7. Quelles sont les dates qui conviendraient?

8. Que fera l'expéditeur de la lettre quand il aura reçu le consentement de l'agence?

9. Dans quel délai?

10. Par quoi se justifie l'engagement réciproque?

Sensibilisation grammaticale

1. L'infinitif passé

Dans ce type de réponse on utilise souvent l'infinitif passé après avoir lu typique du style écrit.

Sur ce modèle construisez les phrases suivantes en mettant à l'infinitif passé le verbe entre parenthèses.

Après (prendre connaissance) de votre rapport, je vous informe que je partage tout à fait votre point de vue.

Après (envoyer) mon dossier de prise en charge à la Sécurité sociale, j'ai reçu une réponse favorable.

Après (verser) des arrhes, nous considérons que l'engagement réciproque est définitif.

Après (envoyer) ma cotisation, je n'ai encore reçu aucun accusé de réception.

2. Révision du conditionnel

Relevez dans ce texte les verbes au conditionnel.

Pourquoi sont-ils au conditionnel?

Conjuguez au conditionnel les verbes suivants: être désireux, souhaiter, vouloir, pouvoir.

Pourquoi le verbe je vous enverrai ne prend pas un s?

Enrichissement lexical

Cherchez dans le dictionnaire les mots suivants: un descriptif, un catalogue, des arrhes, un versement.

Application

Vous cherchez une chambre d'étudiant dans la ville où vous venez d'arriver. Vous avez lu une annonce proposant un logement qui pourrait éventuellement vous convenir. Vous rédigez la lettre de demande.

Lettre 4

Remerciement pour un cadeau

Objectifs

La construction d'une lettre personnelle
Les paragraphes

Cette lettre est un exemple, une proposition, mais n'est pas une lettre conventionnelle. Lorsqu'on écrit une lettre spontanée dans la vie privée, il est évident qu'il n'y a pas de formules prêtes à l'avance et conventionnelles.

Limoges, le 5 juillet 2003

Bien chers amis,

[§1] J'ai eu une grande surprise hier en recevant ce beau livre que vous m'avez envoyé pour mon anniversaire. J'étais persuadé que vous aviez oublié cette date. Merci donc de tout cœur d'avoir ainsi pensé à moi. Je suis très touché de votre gentillesse.

[§2] J'ai tout de suite commencé à feuilleter ce magnifique livre sur les Châteaux de la Loire. Les illustrations sont superbes. J'ai vraiment apprécié la beauté des photos de grande qualité. C'est un plaisir de les regarder longuement. On a l'impression de visiter soi-même ces châteaux et de partager totalement la beauté de tous les détails dont certains sont agrandis et commentés. Bravo pour ce choix si judicieux. Vous ne pouviez pas mieux tomber.

[§3] Mes parents l'ont regardé aussi avec admiration et enchantement; ils partagent tout à fait mon point de vue. Grâce à vous, nous avons passé une bonne soirée hier soir à en discuter.

[§4] Il y a longtemps que je n'ai plus eu de vos nouvelles. Comment allez-vous tous depuis notre dernière rencontre? Je serais heureux d'avoir une bonne lettre de vous me parlant de vos santés, de vos activités et de vos projets. Pour moi je travaille dur en ce moment pour la préparation de mes partiels qui vont commencer lundi prochain.

[§5] Merci encore pour votre envoi. Croyez bien que ce beau livre à la place d'honneur dans ma chambre me parlera souvent de vous.

[§6] Mes parents se joignent à moi pour vous embrasser tous bien affectueusement.

Didier

* * *

Compréhension du texte

1. Quels sont les destinataires de cette lettre?
2. Quelle est la profession de l'expéditeur?
3. Où habite-t-il?
4. Pourquoi a-t-il reçu un cadeau?
5. Quel est le sujet du livre reçu?
6. Dans quelle catégorie de livres pouvez-vous le situer?
7. Quel est en général le format de ces livres?
8. Vu le ton de la lettre, est-ce que vous pouvez dire si les amis à qui la lettre est destinée, ont le même âge que l'expéditeur ou s'ils sont plus âgés que lui?
9. Qu'est-ce qui vous prouve que celui qui écrit la lettre est étudiant?
10. Dans quel paragraphe l'auteur de la lettre prend-il des nouvelles de ses amis?

Construction des paragraphes

Quel que soit l'objet de votre lettre, elle doit toujours être construite à l'aide de paragraphes distincts. Pour les lettres personnelles il n'y a évidemment pas de modèle-type car la spontanéité est essentielle, mais vous pouvez cependant suivre quelques indications.

Marquer le lieu d'où vous écrivez et la date en entier.

La formule d'appel peut varier:
 – pour les personnes plus classiques on utilise l'adjectif « cher François », « chers parents » etc;
 – les jeunes entre eux simplifient souvent cette formule en écrivant seulement par exemple: « Bonjour François » ou « Salut ».

Paragraphe 1
 – pour remercier d'un cadeau, vous donnez votre première impression et exprimez les circonstances dans lesquelles vous avez reçu ce cadeau;
 – pour donner de vos nouvelles: vous donnez vos impressions personnelles sur le lieu dans lequel vous êtes, vous le décrivez en quelques mots;

– pour féliciter des amis pour une naissance ou un mariage, vous exprimez les sentiments que vous avez éprouvés à l'annonce de l'événement.

Paragraphe 2

– pour remercier d'un cadeau : vous exprimez votre comportement après l'avoir découvert ;

– pour donner de vos nouvelles : vous exprimez vos réactions personnelles et vos sentiments face à cet environnement ;

– pour féliciter pour une naissance ou un mariage : vous exprimez vos sentiments d'accueil face à cet enfant dont on vous annonce la naissance ou face au nouveau marié (ou à la nouvelle mariée).

Paragraphe 3

– pour remercier d'un cadeau : vous parlez de ceux à qui vous l'avez montré, vous exprimez leurs réactions ;

– pour donner de vos nouvelles : vous parlez des personnes que vous rencontrez, de l'ambiance dans laquelle vous vivez ;

– pour féliciter d'une naissance ou d'un mariage : vous parlez des réactions de votre entourage, des sentiments qui ont été exprimés autour de vous. Vous pouvez même citer des phrases que vous avez entendues à propos de cet événement et qui peuvent toucher votre destinataire.

Paragraphe 4

Dans tous les cas vous prenez des nouvelles de votre destinataire et de son entourage : santé, activités, projets, etc.

Paragraphe 5

Si vous le pouvez, vous pouvez faire quelques remarques affectueuses ou aimables à l'égard de votre destinataire.

Pour la formule finale toutes les possibilités sont permises. Les plus classiques demeurent :

– Croyez à toutes mes amitiés ou (mes bonnes amitiés), ou (mes amitiés les plus chaleureuses).

– Je vous embrasse affectueusement (ou de tout mon cœur) ou (avec toute mon affection), etc.

– Bisous. A + (= À plus tard) si vous êtes un jeune qui écrit à un jeune de son âge.

– Bien cordialement.

– Bien amicalement.

– Signature.

Enrichissement lexical

Quelques verbes qui expriment un sentiment.

Je suis touché, je suis ému, je suis ravi, je suis content, etc.

J'ai éprouvé une grande joie…

Cela a été une grande joie pour moi…

Merci infiniment pour….

Grand merci pour….

Je vous remercie de tout cœur pour, etc.

Application

Vous écrivez à un ami pour le féliciter d'avoir réussi un examen difficile.

Vous construisez votre lettre avec cinq paragraphes précis suivant le modèle ci-dessus.

Lettre 5

CV

Quand on écrit une lettre pour solliciter un emploi (d'embauche), on joint obligatoirement un CV (du latin *curriculum vitae*, ce qui signifie le parcours de vie), c'est-à-dire un document qui explique votre identité, vos coordonnées (adresse, n° de téléphone) et ce que vous avez fait jusqu'à ce jour (diplômes, travail professionnel, noms des employeurs précédents, etc.). L'élaboration de ce document est très précise car c'est de ce document que dépendra votre engagement. Il est évident que tous les renseignements que vous donnez doivent pouvoir être vérifiés.

Le CV doit être écrit sur un seul côté d'une feuille blanche de format standard. Il doit être tapé à la machine ou sur un ordinateur. Veillez à ce que la présentation soit très claire, afin que ce qui vous paraît le plus important puisse être vu rapidement. Pour cela vous devez aérer votre texte et former des paragraphes bien détachés les uns des autres.

Christophe Durand
18 avenue du Mont-Blanc
38000 Grenoble
Tél. 04 76 41 19 28

Etat-Civil

Né le 22 novembre 1980

Célibataire

Formation

Bac ES

IUT Techniques de commercialisation

Langues parlées

Anglais couramment

Allemand moyen

Stages

Stage de journaliste au journal *l'Élan* au Mali en juillet 2000.

Stage de journaliste au journal *l'Éclaireur* à Marseille en juillet et août 2001.

Stage commercial dans l'entreprise d'articles de sports Noiret de mai 2002 à novembre 2002.

Activités diverses

Animateur de ciné-club à la M.J.C. du quartier des Glycines.

Membre d'une équipe de basket-ball.

Motivation

Je souhaite trouver un travail commercial qui me permette d'avoir des contacts humains et de travailler à l'étranger.

Sommaire

Annexes
Pour apprendre à écrire des lettres utiles